La motivation scolaire

Pratiques pédagogiques

Collection dirigée par Jean-Marie DE KETELE et Antoine ROOSEN.

Tous ceux qui, déjà dotés d'une bonne formation théorique, sont amenés à travailler sur le terrain : formateurs, formateurs de formateurs, chercheurs dans l'action, décideurs, ... vont trouver ici des ouvrages qui ne décrivent pas seulement de nouvelles pratiques ou de nouveaux outils, mais qui en exposent aussi les fondements.

Pratiques pédagogiques

La motivation scolaire

Comment
susciter le désir
d'apprendre ?

Pierre Vianin

Publié avec le soutien du
Conseil de la Culture de l'État du Valais.

CONSEIL DE LA CULTURE
ETAT DU VALAIS

Pour toute information sur notre fonds et les nouveautés dans votre domaine de spécialisation, consultez notre site web : www.deboeck.com

© De Boeck & Larcier s.a., 2007
Éditions De Boeck Université
Rue des Minimes 39, B – 1000 Bruxelles

2e édition

Imprimé en Belgique

Dépôt légal :
Bibliothèque Nationale, Paris : septembre 2007   ISSN 0778-0451
Bibliothèque royale de Belgique, Bruxelles : 2007/0074/339   ISBN 978-2-8041-5613-8

À tous mes parents (!) : Marcelle, Joseph, et tous ceux qui, jusqu'ici, ont assuré mon éducation et m'ont permis de grandir...

Pour toute demande, commentaire, renseignements,
Pierre Vianin peut être contacté à l'adresse e-mail suivante :
pierrevianin@bluemail.ch

Remerciements

Je tiens à remercier très chaleureusement Ursula Vianin, Nicole Jacquemet, Pascal Vianin et Stéphane Moulin qui ont eu la gentillesse de lire et corriger le manuscrit.

Merci également à Madame R. et Madame S. (qui se reconnaîtront) avec qui j'ai collaboré étroitement dans le projet décrit dans ce livre et à la maison d'éditions De Boeck Université pour leurs critiques avisées.

Toute ma reconnaissance également à celles et ceux qui ont contribué d'une manière ou d'une autre à la réalisation de cet ouvrage. Je pense surtout à Camille, Maëlle et Évane qui ont su respecter le travail — souvent chronophage et parfois fastidieux — de leur papa et l'encourager dans l'aventure de l'écriture d'un ouvrage. Merci donc — pour leur soutien inconditionnel — à toutes mes femmes (!), et en particulier à Ursula.

Avant-propos

Antée est le fils de Poséidon, dieu de la mer, et de Gaia, déesse de la Terre, mère et nourricière. Antée est un géant, doué d'une force prodigieuse qui vit dans une caverne, sous une très haute falaise, où il fait des repas à base de chair de lion. Il dispose d'une force colossale et nul adversaire ne parvient à le battre. Il défie à la lutte tous les voyageurs.

Héraclès, personnification de la force, vient le défier.

Le combat s'engage. Héraclès parvient à projeter plusieurs fois Antée sur le sol. Mais, à chaque fois, Antée se relève, plus vigoureux encore. Héraclès est stupéfait de constater que, dans ses chutes, les muscles d'Antée se gonflent, ses bras et ses jambes retrouvent une vigueur phénoménale. Les deux adversaires se prennent à nouveau à bras-le-corps, mais Antée se jette volontairement sur le sol, sans attendre qu'Héraclès l'y projette et se verse du sable chaud sur les membres.

Héraclès comprend alors d'où Antée tire sa force : sa vigueur provient du contact avec la terre. Héraclès saisit alors Antée et le soulève du sol. Il le maintient en l'air et l'étouffe jusqu'à ce qu'il expire.

Peut-on être pédagogue sans être Antée ? Peut-on théoriser sans, toujours, garder un contact avec le terrain, le sol, la pâte pédagogique, mère et nourricière ? Ne risque-t-on pas — à parler de sujets épistémiques qui n'existent que dans la tête des chercheurs — de décoller constamment du réel et de perdre ainsi la vigueur qui provient du contact avec la terre ?

Combien d'ouvrages théoriques, fort bien conçus au demeurant, restent éloignés des préoccupations des praticiens. Soulevées du sol, ces théories étouffent et expirent, sans inspirer des démarches concrètes et des solutions réalistes [1].

Le propos de cet ouvrage s'inscrit dans cette réflexion. Sa force théorique veut se nourrir d'une pratique éprouvée. La première partie du livre présente les approches théoriques qui balisent la réflexion sur la motivation scolaire. La seconde partie jette au sol la théorie et l'éprouve dans une démarche de terrain. Pour qu'Antée retrouve, dans le sable et la poussière, sa force colossale…

---

1. On pourrait parler, à ce propos, « d'effet Héraclès » lorsque la théorie est soulevée du terrain et étouffe dans un raisonnement tautologique, épuré et déconnecté du réel.
Trop souvent, dans son désir de maîtrise, le pédagogue soulève du terrain la pédagogie. La pédagogie devient alors soumise au pouvoir du pédagogue, mais elle étouffe et devient un savoir mort.

Petite réflexion liminaire

Surprenons la conversation entre un missionnaire et un Indien...

Miss. Mon frère, pourquoi ne vas-tu pas dans une grande ville pour travailler en usine ?

Ind. Et si j'avais du travail, qu'arriverait-il ?

Miss. Si tu as du travail, tu auras de l'argent et tu pourras avoir beaucoup de choses.

Ind. Et alors ?

Miss. Si tu travailles bien, tu avanceras, tu deviendras chef et tu auras plus d'argent.

Ind. Et alors ?

Miss. Si tu travailles plus encore, tu pourras devenir directeur d'usine.

Ind. Et alors ?

Miss. Si tu travailles encore plus et si tu arrives à savoir tout ce qui concerne l'affaire, tu pourras ouvrir ta propre affaire et avoir encore plus d'argent.

Ind. Et alors ?

Miss. Oh ! alors tu auras tant d'argent que tu ne devras plus travailler du tout.

Ind. Mais, homme au visage pâle, c'est ça que je fais à présent. Pourquoi se faire tant de soucis pour arriver à ce que je fais maintenant. L'homme blanc a dans sa poitrine un océan en mouvement tandis que nous autres, Indiens, nous regardons les étoiles et nous rêvons avec elles.

(Deldime et Demoulin, 1975, p. 217)

« Et alors ? »

« Et alors ?, homme au visage pâle qui t'agites tant devant ton tableau noir. Moi, élève en échec scolaire, moi, élève de classe spéciale, moi, « mauvais » élève, je regarde les étoiles et je rêve avec elles... »

C'est ce « et alors ? » que nous lance l'élève en difficulté que nous[1] voulons analyser dans cet ouvrage. Que cache cette

---

1. Le « nous » utilisé dans cet ouvrage est un pluriel de modestie et, par conséquent, engage uniquement son auteur.

interrogation ? Quelles sont les véritables composantes de la motivation ? Comment les différentes approches psychologiques ont-elles éclairé ce « et alors » ? Comment s'exprime-t-il en classe et quels sont les moyens dont dispose le missionnaire-enseignant pour susciter le désir d'apprendre ?

Nous tâcherons d'apporter quelques éléments de réponse à ces différents aspects de la motivation.

Mais relevons tout d'abord, à ce propos, un fait curieux : il y a autour de la motivation quelque chose de mystérieux, de difficile à appréhender ; selon un sentiment commun, on est motivé ou on ne l'est pas. Pour certains, la motivation est considérée comme un trait de personnalité — le débat sur l'intelligence a d'ailleurs longtemps participé du même fatalisme. Le discours sur l'absence de motivation des élèves fonctionne donc comme une manifestation d'impuissance pédagogique (Astolfi, 1997). Pour Giordan (2005) également, la motivation apparaît plutôt en creux : « cet élève est peu motivé ». La notion de motivation est donc souvent utilisée en désespoir de cause, comme une explication finale, inévitable et rédhibitoire de l'échec (Carré, 2001). « La motivation apparaît comme une force psychologique magique. (...) C'est dire que si on lui attribue un grand pouvoir on a souvent tendance à la considérer comme un état sur lequel on ne peut pas grand-chose » (André, 1992, p. 14).

Nous essaierons, dans cet ouvrage, de prouver le contraire.

Si le concept de motivation est très difficile à cerner, les enseignants, paradoxalement, sont pourtant nombreux à l'utiliser pour expliquer les difficultés de l'enfant. On peut donc légitimement se demander quels sont les raisons de ce « succès ». Pour Legrain (2003), la motivation remplit une fonction particulière : « Le formateur, en invoquant la démotivation des apprenants, n'a pas à interroger ses pratiques pédagogiques, puisqu'il est entendu que tout est de la faute de l'apprenant » (p. 134). Nous tâcherons de montrer dans ce livre que la question de la motivation engage la responsabilité de l'élève, mais également — fortement — celle de l'enseignant.

Précisons encore que ce livre a été conçu avant tout pour des praticiens. Les enseignants, les enseignants spécialisés, les psychologues scolaires et les parents trouveront donc ici de nombreuses pistes tout à fait concrètes permettant de susciter le désir d'apprendre. Dans ce sens, nous consacrerons les derniers chapitres de la première partie à un recueil de propositions concrètes qui nous permettront de répondre de manière pragmatique à notre question première : comment susciter le désir d'apprendre ?

Introduction

Comment susciter le désir d'apprendre ? Comment motiver l'élève indolent ? Comment donner ou redonner à l'élève le goût de savoir et de connaître ? Comment l'aider à recouvrer le plaisir du « jeu cognitif » et, plus globalement, du « je » cognitif ?

La concurrence est vive aujourd'hui pour l'enseignant [1] dans le domaine de la motivation : la publicité, la télévision, le cinéma, les médias en général, ont maintenant le monopole de la séduction. Ils offrent au public des produits attractifs en soignant la forme et la « plaisance » de la présentation. La qualité du contenu importe de moins en moins. Ce qui compte, c'est l'aspect extérieur du contenant. Si le produit exige malgré tout un contenu, celui-ci doit se présenter de manière à être facilement avalé et si possible prédigéré.

Dans des conditions antagoniques et anachroniques, l'enseignant se débat, comme il y a cent ans, dans les méandres de la conjugaison des verbes pronominaux et des accords du participe passé. Or, on avertit rarement l'élève que le contenu prendrait à l'école toute son importance. Entre le désir de transmettre des savoirs complexes, et souvent « indigestes », et la tentation de transformer son cours en one-man-show, l'enseignant essaie de susciter la motivation chez ses élèves en leur présentant, sous un emballage attractif, le « paquet » de connaissances que constitue le programme scolaire. Au risque parfois de voir les élèves jouer avec le papier de fête et oublier d'ouvrir le carton !

Dans les classes spéciales — plus encore que dans l'enseignement régulier —, le problème se pose avec acuité. Les élèves, victimes également de la facilité ambiante, ont, de plus, un vécu d'échecs derrière eux qui ne facilite pas leur motivation dans le domaine scolaire. Souvent, ils ont redoublé une ou deux années d'école et se trouvent, après bien des difficultés, placés dans une classe spéciale.

Pour illustrer les différentes propositions faites dans cet ouvrage, la situation concrète d'un élève en difficulté motivationnelle sera analysée.

---

1. **Avertissement :** le masculin utilisé dans cet ouvrage est purement grammatical. Il renvoie à des collectifs composés d'hommes et de (très nombreuses !) femmes.

Les différents éléments théoriques présentés seront ainsi exemplifiés par le parcours d'un enfant qui a bénéficié, durant quelques mois, de mesures d'appui pédagogique [2].

La situation qui va nous intéresser dans le cadre de ce livre correspond bien à la description de notre problématique : Timothée (nom d'emprunt), 9 ans, effectue sa sixième année de scolarité. Après des difficultés scolaires importantes, il est pris en charge par un enseignant spécialisé. Il suit actuellement un programme de première primaire en français et de deuxième primaire en maths. Son retard scolaire est donc de trois ans. Les difficultés d'apprentissage, les échecs, il connaît !

Son problème de motivation est manifeste : lorsque nous avons pris contact avec les enseignantes de la classe dans laquelle se trouvait Timothée, elles ont tout de suite signalé les difficultés importantes de cet élève et son manque d'enthousiasme pour le domaine scolaire. Son problème de motivation s'exprime dans toutes les branches, mais particulièrement en lecture. C'est en effet maintenant la troisième année qu'il apprend à lire et ses difficultés sont encore très importantes : il ne déchiffre que des mots simples et accède difficilement à la signification de ce qu'il lit. Si nous réussissons à le motiver pour l'apprentissage de la lecture, nous aurons permis à Timothée de franchir une étape capitale dans l'apprentissage d'une branche essentielle.

Nous allons donc essayer de motiver Timothée. « Motiver Timothée » représente en réalité un défi. En tant qu'enseignants, nous avons connu — et nous en connaîtrons certainement encore — de nombreux Timothée démotivés. Or, souvent, ce type de difficulté représente pour les enseignants la difficulté type. Et il arrive fréquemment que l'enseignant ou le parent perde patience — et motivation ! — avec ces élèves : comment, en effet, serions-nous capable d'aider un enfant qui n'exprime pas une demande d'aide, voire qui refuse toute aide ?

Le risque, avec les élèves démotivés, est de refuser « l'acharnement pédagogique ». Nous pourrions invoquer par exemple, avec beaucoup d'emphase, la « liberté individuelle » qui ne nous autorise pas à user de procédés coercitifs ou de formules séductrices. Il s'agit en fait souvent de nous cacher à nous-mêmes notre incapacité à gérer ce type de difficulté.

---

2. L'appui ou soutien pédagogique est, en Suisse, une mesure d'aide individuelle aux élèves en difficultés qui fréquentent une classe régulière. Il se déroule dans un local prévu à cet effet à l'intérieur du bâtiment scolaire. L'élève signalé quitte sa classe, en général deux à quatre fois par semaine, et rejoint l'enseignant spécialisé pour un travail individuel d'une durée de 30 à 45 minutes. Parfois, l'enseignant spécialisé travaille avec de petits groupes de deux à trois élèves. Il peut également intervenir directement dans la salle de classe (cf. P. Vianin (2001) *Contre l'échec scolaire*, Bruxelles, De Boeck, pour une présentation complète de la mesure d'appui pédagogique).

Dans cette introduction, nous aimerions également apporter une précision essentielle qui nous permettra de dissiper un malentendu important lorsque l'on parle de motivation.

Quand les enseignants se plaignent d'élèves « peu motivés », il s'abat sur la situation évoquée un voile de résignation affectée, un sentiment d'impuissance qui ne s'expriment jamais avec autant de force dans d'autres domaines de l'éducation. Or, selon nous, le malaise provient de la confusion du propos, qui tient du véritable paradoxe : la solution envisagée est du type « sois motivé » et renvoie à l'injonction paradoxale du « sois spontané » décrit par l'école de Palo Alto [3]. Dans de nombreux ouvrages, Watzlawick (1978, 1979 et 1981, notamment) a souligné les dangers du paradoxe et l'état de confusion qu'il suscite. Nous nous trouvons en fait dans cet état confusionnel avec la motivation.

Ce qui pose problème, c'est qu'en réalité la motivation ne fonctionne jamais « à vide », mais elle s'exprime — ou non — dans une situation donnée, face à une activité précise. C'est pourquoi nous avons choisi de travailler une branche scolaire bien précise — la lecture — pour aborder cette problématique. Notre propos dans cet ouvrage ne sera pas, par conséquent, d'enseigner une attitude de motivation — ou alors nous nous enfermerions dans le paradoxe énoncé — mais de développer chez l'élève la conscience de l'importance du domaine d'apprentissage — la lecture, pour Timothée — et l'enjeu de son apprentissage. La motivation devrait naître ainsi, non d'une réflexion sur la motivation elle-même, mais d'un travail sur l'objet dans lequel va « s'incarner » la motivation. Cette option devrait nous permettre, nous semble-t-il, de quitter le paradoxe et d'envisager des pistes de remédiation efficaces.

Avant d'aborder la première partie, nous souhaitons présenter également l'organisation de l'ouvrage. Celui-ci vise plusieurs objectifs :

- réfléchir au rôle de la motivation dans la réussite scolaire ;
- approfondir le concept même de motivation — dont l'ambiguïté empoisonne, comme nous l'avons vu plus haut, toute tentative d'intervention ;
- analyser les théories des principaux courants psychologiques et leurs apports respectifs dans le domaine de la motivation ;
- voir de quelle manière les difficultés motivationnelles s'expriment chez l'enfant ;
- mieux cerner les modalités d'évaluation de la motivation ;
- colliger enfin les propositions rencontrées et les différentes pistes de remédiation.

---

3. Modèle théorique développé au Mental Research Institute (MRI) de Palo Alto (Californie) par, notamment, Gregory Bateson, D.D. Jackson et P. Watzlawick. Le cadre général de ces recherches concerne les effets pragmatiques de la communication et de l'interaction humaines.

Dans la seconde partie de l'ouvrage — où nous illustrerons les stratégies motivationnelles — la démarche proposée est celle du **projet pédagogique individuel**. C'est l'aspect scientifique, la rigueur, le souci de cohérence qui nous semblent ici importants. Morissette et Gingras (1989, p. 30) déplorent à ce propos « l'évitement systématique de toute action formelle relative au domaine affectif en éducation scolaire ». Nous tâcherons donc de construire une démarche de projet cohérente et d'éviter ainsi de « laisser au hasard le soin de régler le problème ».

Le livre se développera donc en deux parties principales :

1) La première partie — théorique — nous permettra de comprendre l'apport important de la psycho-pédagogie dans le domaine de la motivation. Cet exposé théorique n'a pas la prétention de présenter de manière exhaustive toutes les connaissances actuelles en matière de motivation scolaire. Il vise, plus modestement, à fournir au lecteur quelques repères théoriques indispensables à une meilleure compréhension de cette problématique et, surtout, à présenter des pistes d'intervention efficaces.

Nous diviserons cette première partie en cinq thèmes principaux :

1. La motivation : définitions et composantes
2. Les théories explicatives : la théorie psychanalytique, la théorie béhavioriste (comportementaliste), l'approche humaniste et la psychologie cognitive
3. L'expression du manque de motivation
4. L'évaluation de la motivation
5. Un recueil de propositions : comment motiver ?

2) La deuxième partie sera un compte rendu de nos interventions, en tant qu'enseignant spécialisé, avec Timothée. Elle permettra donc de montrer comment, dans la pratique, utiliser les stratégies présentées dans la première partie de l'ouvrage.

Dans cette deuxième partie, quelques principes déterminants guideront nos interventions :

- la place que nous tâcherons de laisser aux différents partenaires du projet ;
- le souci de transparence et « d'explicite » ;
- les principes d'évaluation formative et de différenciation pédagogique ;
- et enfin le souci constant de permettre à l'élève de devenir réellement « sujet agissant ».

Les étapes principales de cette deuxième partie sont les suivantes :

1. Nous dresserons tout d'abord un bilan de la situation de l'enfant en lecture et de sa motivation pour l'apprentissage de cette compétence. La formulation des objectifs du projet et de la planification de nos interventions dépendront de cette première évaluation.

2. Nous décrirons ensuite nos interventions avec l'élève, ainsi que les différents entretiens avec la mère de l'enfant et les enseignants.

3. Nous procéderons enfin à une évaluation du travail effectué avec Timothée. Nous dresserons ainsi un bilan du travail accompli.

Les deux parties de l'ouvrage sont donc complémentaires. Le lecteur peut donc définir sa stratégie de lecture en fonction de son intérêt propre. Quatre possibilités s'offrent à lui :

1. Il peut lire l'ouvrage de la première à la dernière page.

2. S'il est pragmatique, il peut commencer sa lecture par la deuxième partie et lire le cadre théorique de la première partie dans un deuxième temps.

3. Il pourra également lire d'abord la deuxième partie et revenir, ponctuellement, à la première partie. La deuxième partie de l'ouvrage est en effet construite à partir du cadre théorique de la première partie. De nombreux renvois (indiqués par des « Cf. chapitre X ») permettent de comprendre les interventions de l'enseignant en retournant aux chapitres théoriques justifiant ces interventions. Le lecteur progresse ainsi dans sa lecture du livre en faisant des sauts fréquents de la deuxième à la première partie [4].

4. Enfin, le lecteur peut refermer ici ce livre — qui ne répond peut-être pas du tout à ses attentes — et le ranger définitivement dans sa bibliothèque. Dans ce cas, il s'est probablement laissé séduire par une publicité efficace, une quatrième de couverture flatteuse et un titre bougrement accrocheur. Tant pis pour lui.

---

4.   Cette stratégie ne lui permettra pas, cependant, d'assurer la lecture de tous les chapitres de la première partie. Certains thèmes abordés au début de l'ouvrage ne font, en effet, l'objet d'aucun renvoi, dans la seconde partie.

LE CADRE THÉORIQUE

CHAPITRE 1

L'importance de la motivation dans l'apprentissage

« Donnez à l'enfant le désir d'apprendre et toute méthode lui sera bonne », écrivait Rousseau en 1762 dans l'Emile [1]. Plus de deux cents ans plus tard, la réflexion vaut toujours son pesant de cacahuètes ! (voilà une métaphore de la motivation que les mangeurs de la chose comprendront sans difficulté...).

Les enseignants invoquent d'ailleurs souvent la faible motivation de l'élève pour justifier les difficultés rencontrées. Comme le relèvent De Beni et Pazzaglia (in Doudin, Martin et Albanese, 2001, p. 248), « la faible motivation des élèves est vécue (par les enseignants), non seulement comme frustrante, mais comme le principal obstacle au succès du processus d'enseignement-apprentissage ». Les auteurs précisent également, comme nous l'avons d'ailleurs relevé en introduction, que « de telles déclarations sont souvent accompagnées d'un sentiment d'impuissance, comme si l'école ne possédait pas les instruments pour motiver les élèves à apprendre ».

L'étymologie du mot « motivation » — du latin *movere*, qui signifie *se déplacer* — confirme sa vertu première : début et source de tout mouvement. En fait, tout apprentissage dépend d'elle. Sans cette mise en mouvement initiale, sans cet élan du cœur, de l'esprit — et même du corps, tout apprentissage est impossible. Véritable moteur de l'activité, elle assure, en plus du démarrage, la direction du « véhicule » et la persévérance vers l'objectif qui permet de surmonter tous les obstacles.

On pourrait à ce sujet qualifier la motivation de « méta-objectif » en éducation. Elle correspond en effet à l'objectif nécessaire à la réalisation de tous les autres objectifs et de toutes les autres démarches

---

1. Si la question de la motivation est effectivement ancienne, le mot lui-même n'est apparu en français qu'en 1845 (Giordan, 2005).

d'apprentissage. Les enseignants sont d'ailleurs tout à fait conscients de l'importance de l'enjeu : comme le relève Zakhartchouk (2005), la question « Comment motiver efficacement les élèves ? » est arrivée en tête, en France, parmi toutes celles proposées lors du débat national de 2004 sur l'école.

Pour Aubert (1994), la motivation fait partie des processus conatifs et est — avec la disponibilité psychique — une composante essentielle de la réussite scolaire. Il est en outre intéressant de souligner avec lui que, sur un plan neuronal, la richesse des combinaisons synaptiques dépend principalement de ces mêmes processus conatifs. On sait aujourd'hui que le développement même du cerveau (dendrogenèse) est tributaire de l'engagement du sujet dans des « aventures » cognitives stimulantes.

Chappaz (1992, p. 46) confirme également le lien étroit qui existe entre la réussite scolaire et le degré de motivation. Il cite une enquête que Forner a menée au niveau du Bac et conclut en affirmant que « les pourcentages de réussite augmentent avec la force de la motivation, et l'influence de la motivation scolaire est encore plus forte chez des sujets faibles (plus ils sont motivés, plus ils réussissent au Bac malgré leur handicap) ». Des recherches ultérieures ont confirmé la corrélation entre la motivation des élèves et leur réussite au baccalauréat (Forner, 1999). De son côté, Métrailler (2005) a évalué la motivation des élèves par un questionnaire et a comparé ensuite les réponses aux résultats notés de ces mêmes élèves. La conclusion de sa recherche est claire : plus les notes obtenues par les élèves sont basses, plus les résultats concernant la résignation et l'amotivation sont élevés. À l'opposé, plus les notes sont élevées et plus les résultats qui concernent la motivation intrinsèque sont élevés.

Un autre aspect de l'importance capitale de la motivation est souligné par le courant constructiviste : les savoirs et les savoir-faire sont construits, élaborés par les élèves eux-mêmes. La connaissance ne se transmet pas. Sans l'adhésion réelle des élèves, point d'apprentissage. Comme le rôle central est tenu par l'élève, le succès du processus d'enseignement-apprentissage dépend principalement de ses initiatives. Meirieu, jouant sur les mots, confirme « qu'il n'y a *transmission* que quand un projet d'enseignement rencontre un projet d'apprentissage, quand se tisse un lien, même fragile, entre un sujet qui peut apprendre et un sujet qui veut enseigner » (1989, p. 42).

En élargissant un peu notre perspective et en touchant cette fois aux valeurs et aux finalités mêmes de l'éducation, nous pouvons dire avec Rogers : « Si nous voulons des citoyens qui puissent vivre dans ce monde en changement kaléidoscopique qui est le nôtre, nous ne pourrons y arriver *que* si nous voulons qu'ils deviennent des apprentis qui se mettent eux-mêmes en mouvement et qui se prennent eux-mêmes en mains » (1984, p. 126).

CHAPITRE

2

Les définitions de la motivation

Les définitions de la motivation sont multiples. Elles se rattachent souvent à des « écoles » particulières. Nous aurons donc l'occasion d'approfondir ces notions lorsque nous présenterons les différentes théories explicatives (chapitre 4).

Nous voyons, dans la diversité de ces approches, l'occasion, d'une part, de cerner mieux le concept et, d'autre part, d'en mesurer toute la complexité. Comme le relève Roussel (2000), les différentes conceptions de la motivation tentent de clarifier notre compréhension du phénomène, mais, souvent, « ajoutent encore à la complexité de par leurs caractéristiques voisines et leurs définitions qui tendent à se chevaucher » (p. 4). Des notions comme le « désir d'apprendre », le « plaisir », la « curiosité », le « goût » recouvrent des sens multiples qui ne facilitent pas la compréhension du phénomène complexe de la motivation.

Les premières définitions que nous présentons font appel aux notions d'énergie, de force, d'élan. Elles ont l'avantage de nous présenter l'aspect dynamique de la motivation. Par contre, elles semblent faire peu de place au libre arbitre et considèrent plutôt la personne comme mue par des forces étrangères — sinon étranges —, sursoyant à la volonté du sujet.

Pantanella (1992, p. 10) définit par exemple la motivation comme « une énergie qui nous fait courir », Aubert (1994, p. 91) comme « un starter de la démarche vers... ce qui pousse à... ce qui donne l'élan ». Decker (1988, p. 15) présente la motivation comme une « source d'énergie psychique nécessaire à l'action ». Auger et Bouchelart (1995) parlent de « créer les conditions qui poussent à agir, c'est stimuler, donner du mouvement ». La théorie de Hull et le concept de *drive* insistent également sur ces notions d'énergie, de dynamisme, de mobile [1] qui poussent

---

1. Notons ici que la notion de « mobile » peut renvoyer à l'idée du mouvement, de la mobilité, mais également à celle du « mobile du crime ». Le concept de motivation peut donc être conçu « comme un intermédiaire entre une cause et un comportement » (Métrailler, 2005, p. 10).

le sujet à agir (Fenouillet, 2003). Houssaye, tout en conservant l'aspect dynamique de la motivation, introduit la notion de conscience qui sera développée amplement par les cognitivistes : « La motivation est habituellement définie comme l'action des forces, conscientes et inconscientes, qui déterminent le comportement » (1993, p. 223).

Pour d'autres auteurs ensuite, la motivation se situe dans la recherche de satisfactions. Ici également la source de la motivation est extérieure au sujet. Decker (op. cit.) retient la définition suivante : « La motivation, c'est la recherche préférentielle de certains types de satisfactions ». Perrez, Minsel et Wimmer (1990) — qui ne cachent pas leur attachement au béhaviorisme (comportementalisme) — ne définissent pas directement le concept de motivation, mais l'action de « motiver ». Ce choix ne nous semble pas sans importance : l'action de « motiver quelqu'un » suppose la source de la motivation comme extérieure et le pouvoir du « motivateur » comme important : « En éducation, on appellera *motiver* le fait d'utiliser et de renforcer les impulsions propres de la personne à éduquer pour se rapprocher d'un objectif éducatif ou pédagogique concret » (*op. cit.*, 1990, p. 234).

Les psychologues cognitivistes vont — en rupture avec les théories béhavioristes — insister sur l'engagement du sujet dans le processus motivationnel. Pour eux, la motivation fait partie du système métacognitif de l'élève : « La motivation scolaire est essentiellement définie comme l'engagement, la participation et la persistance de l'élève dans une tâche » (Tardif 1992, p. 91). La Garanderie abonde largement dans ce sens en disant qu'une « motivation est une raison de choisir dans laquelle la conscience se reconnaît, que la conscience fait sienne. (...) Une personne est donc motivée lorsqu'elle a conscience de motifs et que ces motifs sont l'objet de son choix » (1991, p. 13).

D'autres auteurs vont mettre en évidence l'importance du but dans la dynamique motivationnelle. Nuttin (1985) considère la motivation comme « toute tendance affective, tout sentiment susceptible de déclencher et de soutenir une action dans la direction d'un but ». Il développe ensuite le schéma suivant : « Un sujet en situation agit sur un état de choses perçu (ou situation actuelle) en vue d'un état de choses conçu (ou but) qui se réalise plus ou moins dans un effet atteint (ou résultat) » (p. 78). L'importance de l'objectif visé apparaît pour de nombreux autres auteurs. Pour Lévy-Leboyer (1999, p. 9), « la motivation est le processus qui fait naître l'effort pour atteindre un objectif et qui relance l'effort jusqu'à ce que l'objectif soit atteint ».

Nuttin introduit également la dimension essentielle de la relation entre l'individu et son environnement, donnant ainsi au concept un cadre systémique. Il considère « la motivation comme l'aspect dynamique de l'entrée en relation d'un sujet avec le monde. Concrètement, la motivation concerne la direction active du comportement vers certaines catégories préférentielles de situations ou d'objets » (*op. cit.*, p. 11).

Les modèles sociocognitifs soulignent également que le comportement de l'individu dépend de facteurs internes, mais que leur origine se trouve dans l'environnement. Viau (1997), par exemple, reprenant les conceptions développées par Bandura (1986), insiste sur l'interaction entre les facteurs personnels, comportementaux et environnementaux. Pour lui, « la motivation en contexte scolaire est un état dynamique qui a ses origines dans les perceptions qu'un élève a de lui-même et de son environnement et qui l'incite à choisir une activité, à s'y engager et à persévérer dans son accomplissement afin d'atteindre un but » (p. 7). Bandura (2003) parle d'une *causalité triadique réciproque* pour souligner l'interaction dynamique permanente et l'influence réciproque entre les trois facteurs que sont le comportement, les facteurs personnels internes (cognitifs, émotionnels et biologiques) et l'environnement.

Vallerand et Thill (1993) insistent de même sur l'interaction entre des facteurs personnels et environnementaux : « Le concept de motivation représente le construit hypothétique utilisé afin de décrire les forces internes et/ou externes produisant le déclenchement, la direction et la persistance du comportement » (p. 18). Les influences réciproques de l'environnement, de nature essentiellement sociale, des représentations cognitives de la personne et de son comportement motivationnel sont donc une nouvelle fois soulignées (cf. également Legrain, 2003).

Nous retiendrons, en synthèse, la définition de Not (1987, chap. 4) qui rassemble dans sa description les notions d'énergie, de stimulations du milieu, de direction vers un but, de sujet et de conscience : « Le concept de motivation englobe les motifs conscients et les mobiles inconscients, les besoins et les pulsions d'origine biologique, les réactions affectives aux stimulations issues du milieu ou du sujet lui-même. (...) Toute activité a besoin d'une dynamique — qui procède des motivations — et celle-ci se définit par une énergie et une direction ».

CHAPITRE
3

Les composantes de la motivation

Nous avons donné au chapitre précédent plusieurs définitions de la motivation. Or, selon certains auteurs, le concept de motivation devrait être remplacé par des notions mieux définies et plus faciles à circonscrire. Pour Legrain (2003), par exemple, « on peut facilement se passer de cette notion de motivation. (...) Le concept de motivation a en effet l'inconvénient de faire croire que la motivation serait une cause première, unique et monolithique, qui expliquerait tout, de façon un peu magique et idéalisée, alors qu'il regroupe un ensemble de variables de nature très différente » (pp. 15-16).

Nous tâcherons donc maintenant d'approfondir cette notion en précisant quelles en sont les différentes composantes. Ce chapitre se présente donc comme une explicitation des définitions. Il tâchera d'éclairer le concept en soulignant ses différentes facettes. Nous présenterons tout d'abord la pyramide de Maslow, puis nous distinguerons successivement la motivation intrinsèque et la motivation extrinsèque, le niveau d'aspiration et le niveau d'expectation, la motivation positive et la motivation négative, la motivation par les finalités et la motivation par les moyens. Nous étudierons enfin les attributions causales et la résignation apprise.

1

LA PYRAMIDE DE MASLOW ET LE RÔLE DES BESOINS

Pour le psychologue américain Maslow (1943), les besoins humains se répartissent en cinq niveaux (figure 1). Au bas de la pyramide se trouvent les besoins physiologiques — comme manger et dormir — et les besoins de sécurité (confort, tranquillité...). La fraternité, la solidarité et la convivialité font partie des besoins d'appartenance et de relation qui demandent que le sujet prenne sa place dans la société. Le besoin d'être reconnu tient de cette même exigence sociale. Au sommet de la pyramide se trouve le besoin qui engage le plus manifestement la motivation scolaire : le besoin de réalisation de soi. La motivation serait suscitée par le désir de satisfaire ces différents besoins.

La théorie de Maslow propose une hiérarchie des besoins : l'individu chercherait à satisfaire d'abord les besoins physiologiques, puis les besoins de sécurité, de relations, de reconnaissance et, enfin, de réalisation de soi. Pour le psychologue, il faut donc satisfaire un besoin de niveau inférieur si l'on veut prétendre accéder au niveau supérieur.

C'est précisément cet aspect qui fut le plus sujet à la critique. Alderfer (1969), par exemple, conteste l'aspect hiérarchique des différents besoins. Ceux-ci peuvent tout à fait agir simultanément. De plus, les exemples ne manquent pas pour démontrer que la recherche d'un besoin supérieur peut occulter tous les autres besoins. Le gréviste de la faim illustre par exemple ce phénomène. Comme le soulignent Donnadieu et Isnard (1990, p. 342), « le besoin humain apparaît en réalité comme une notion extrêmement plastique. Seules des activités véritablement très proches des conditionnements biologiques pourraient être valablement rapportées à la notion de besoin ».

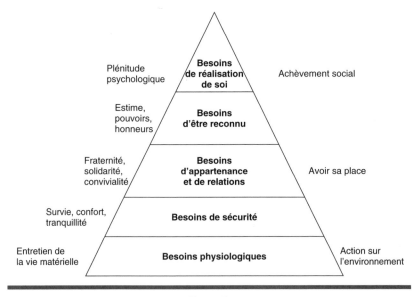

FIGURE 1
Pyramide des besoins humains, selon A. Maslow

Aumont et Mesnier (1992) établissent à ce propos une distinction intéressante entre besoin et désir : « Autant le besoin, lié aux réalités phy-

siologiques, est la recherche d'une satisfaction et d'un accomplissement, autant le désir supporte le non-accomplissement immédiat »
(p. 156).

Il nous semble que non seulement le désir « supporte » le non-
accomplissement immédiat, mais souvent le recherche. Ou plutôt, le
non-accomplissement immédiat exacerbe le désir. Notre expérience
d'enseignant nous a souvent montré qu'un objectif qui ne représente
pas réellement un défi pour l'élève reste peu stimulant. La motivation naî-
trait ainsi, selon nous, d'un désir non assouvi présentant quelque obstacle
à son assouvissement.

Donnadieu et Isnard (1990) distinguent également les besoins élémentaires des réels facteurs de motivation. Alors que les premiers exigent
une satisfaction totale et immédiate et ne « motivent que négativement
en cherchant à éteindre la frustration », les seconds « peuvent être prétexte à motivation durable et engagement dans l'action ; leurs effets
sont cumulatifs ; les bénéfices nés de la compétence et de l'épanouisse-
ment s'ajoutent les uns aux autres. (...) Leur satisfaction développe un fort
sentiment de gratification qui a besoin pour se maintenir de la persévérance dans l'action, voire de l'amplification des efforts et de l'amélioration des résultats » (p. 349).

Pour nous, l'intérêt du modèle de Maslow est de permettre de souligner l'importance des conditions nécessaires à la motivation scolaire :
l'enseignant oublie parfois que l'enfant doit être en bonne condition
physique pour apprendre. On sait aujourd'hui que la fatigue, un état
dépressif, des carences alimentaires, le manque de sommeil, etc. peuvent avoir des effets dévastateurs sur les apprentissages. De même, un
enfant qui ne comblerait pas, en classe, ses besoins de sécurité psychologique, d'appartenance, de relations, d'estime de soi, rencontrerait
beaucoup de difficultés à s'engager et à persévérer dans des tâches
cognitives. Nous y reviendrons dans la présentation de l'approche humaniste de la motivation.

2

MOTIVÉ « POUR » ET MOTIVÉ « PAR » : LA MOTIVATION INTRINSÈQUE ET LA MOTIVATION EXTRINSÈQUE

La **motivation intrinsèque** est définie comme « les forces qui inci-
tent à effectuer des activités volontairement, par intérêt pour elles-
mêmes et pour le plaisir et la satisfaction que l'on en retire » (Roussel,
2000, p. 7). Elle correspond aux intérêts spontanés de la personne : l'activité en elle-même apporte alors des satisfactions, indépendamment de
toute récompense extérieure et l'envie d'explorer un objet inconnu se
suffit à elle-même. L'apprentissage se réalise uniquement, selon l'expres-

sion d'Aumont et Mesnier, « pour le plaisir du jeu cognitif » (1992, p. 161). Les psychologues humanistes — notamment Rogers (1984) — ont beaucoup insisté sur l'importance de ce type de motivation. On pourrait dire à ce propos que l'enfant est «motivé pour» l'activité elle-même, indépendamment des éventuelles satisfactions ou récompenses extérieures que lui procure l'activité. L'élève souhaite donc approfondir le sujet et poursuivre son apprentissage pour le plaisir, par curiosité et pour son intérêt personnel.

La source de la **motivation extrinsèque** se situe par contre à l'extérieur du sujet. Ce sont les renforcements, les feed-back et les récompenses qui alimentent la motivation. L'élève effectue ici une activité pour en retirer un avantage ou pour éviter un désagrément. On reconnaîtra ici l'approche béhavioriste (comportementaliste). La présentation agréable d'une leçon, la ludicité du matériel, l'effet de surprise que les enseignants utilisent en classe participent de cette motivation extrinsèque. Ici, l'enfant est «motivé par» un élément extérieur à l'apprentissage lui-même ou «par» la récompense que lui procure l'activité dans laquelle il est engagé. L'élève extrinsèquement motivé cherche donc à obtenir une récompense ou à éviter une punition. Le risque de cette approche est qu'en détournant les élèves de l'objet lui-même de l'apprentissage, on risque de le détourner aussi d'un apprentissage réellement signifiant.

Il semblerait que la distinction entre motivation intrinsèque et extrinsèque ne soit pas toujours évidente à établir : dans la réalité, les deux composantes semblent interagir fréquemment, les facteurs situationnels — extrinsèques — jouant un rôle déterminant dans le développement de la motivation intrinsèque. Par exemple, lorsque l'enseignant renvoie à l'enfant un feed-back positif sur son travail, il renforce son sentiment de compétences et donc sa motivation intrinsèque.

Pour Deci et Ryan (1991) — selon leur théorie de l'évaluation cognitive — la motivation intrinsèque serait suscitée par le besoin de se sentir compétent et autodéterminé. L'autodétermination correspond à la possibilité de pouvoir effectuer un choix dans le plus grand nombre de situations possibles. La répartition des initiatives entre l'enseignant et l'élève permettra, par exemple, de confier une part de la responsabilité des apprentissages aux enfants. Comme le souligne Bru (in Houssaye, 1993, p. 109), « les activités que l'élève accomplit s'organisent à partir d'initiatives qui, pour partie ou totalité, peuvent appartenir soit à l'élève lui-même ou au groupe dont il fait partie, soit à l'enseignant ».

L'enseignant peut donc parfois laisser l'initiative à l'élève dans le choix du but, de la procédure ou des moyens utilisés en classe, voire même dans le choix des modalités de l'évaluation. Lorsque l'enseignant confie une partie de l'initiative à l'enfant, il favorise son sentiment de compétence et le processus d'autodétermination. Une personne se trouvant dans un environnement où elle peut s'auto-déterminer est plus motivée intrinsèquement qu'une autre se trouvant dans un environnement qui ne lui permet pas de s'auto-déterminer. Joule (2005) relève, par exemple, à ce propos « qu'un étudiant a plus de chance de visiter un site Web si la mention « cliquez ici » est remplacée sur l'écran de son ordinateur par la mention « vous êtes libres de cliquer ici » ! (p. 12).

Les travaux de Deci (*op. cit.*) ont également permis de nuancer l'opposition classique entre motivation intrinsèque et extrinsèque en les situant sur un continuum (figure 2). Plusieurs niveaux [1] peuvent ainsi être distingués : la régulation externe correspond ainsi au niveau d'autodétermination le plus bas, l'enfant étant dirigé par des contingences exclusivement externes. Au niveau le plus élevé, l'enfant s'engage dans des apprentissages parce qu'ils correspondent à ses propres aspirations (Vallerand et Thill, 1993 ; Lieury et Fenouillet, 1996 ; Viau, 1997). Pour Deci, le besoin d'autodétermination est un facteur tout à fait crucial dans la dynamique motivationnelle. Il correspond à la tendance de l'individu à se percevoir comme le principal agent de son comportement.

Plusieurs auteurs ont développé un troisième concept, celui d'**amotivation** qui désigne l'absence de toute forme de motivation. Souvent, l'élève est amotivé parce qu'il ne perçoit pas de relation entre ses actions et le résultat obtenu. Ce concept est voisin des notions de résignation apprise et de perte du sentiment de contrôlabilité que nous développerons plus bas.

Continuum d'autodétermination				
Absence d'autodétermination	Amotivation	Motivation extrinsèque	Motivation intrinsèque	Comportement autodéterminé

FIGURE 2

Continuum d'autodétermination

La qualité des apprentissages est évidemment dépendante du type de motivation. Ainsi, de nombreuses recherches (cf. Vallerand et Thill, 1993) ont souligné que les élèves qui apprennent en étant motivé intrinsèquement obtiennent de meilleurs résultats en termes d'apprentissage que ceux qui sont stimulés par une motivation extrinsèque. On a ainsi pu montrer, dans une étude menée auprès d'enfants du niveau primaire, que les élèves qui apprennent une notion dans un texte en vue

---

1. Quatre niveaux d'autodétermination peuvent être distingués (du plus bas au plus élevé) : la régulation externe (par exemple, l'attrait de la récompense ou la peur de la punition), l'introjection ou régulation introjectée (pression interne : l'enfant s'impose à lui-même une exigence ; par exemple, l'envie de faire plaisir), l'identification (faire un choix) et l'intégration (déterminer soi-même son comportement).

d'une évaluation font preuve d'un moins bon apprentissage conceptuel que ceux qui l'apprennent pour le plaisir.

Notons enfin que souvent ces différents types de motivation se confondent et s'alimentent réciproquement. Comme le relève Viau (1997, p. 31), « le concept de déterminisme réciproque inscrit la motivation de l'élève dans l'interaction constante et réciproque entre ses caractéristiques individuelles, ses comportements et son environnement ».

3

NIVEAU D'ASPIRATION ET NIVEAU D'EXPECTATION

Le niveau d'aspiration représente le but que le sujet s'est fixé et le niveau qu'il désire atteindre lorsqu'on le place devant une tâche. Reuchlin (1991, p. 455) prend l'exemple d'un sauteur qui s'est fixé comme objectif de franchir la barre des 2 mètres. Cet objectif est appelé « l'information de référence ».

Le niveau d'aspiration dépend beaucoup de l'influence du milieu familial, mais également des réussites et des échecs de l'individu dans une tâche particulière. Le sauteur qui ne franchit jamais la barre de 1,60 mètre risque bien, si son égotisme ne l'étouffe complètement, de tempérer ses ambitions.

Le niveau d'expectation, c'est « l'évaluation anticipée de la part d'un individu des résultats d'une de ses performances » (Deldime et Demoulin, 1975, p. 220). Il correspond au niveau que le sujet peut espérer atteindre. Certains auteurs parlent de « probabilité subjective de réussite » (Legrain, 2003). L'ambition du sauteur peut rester fixée à 2 mètres (niveau d'aspiration), tout en sachant que, pour l'instant, il ne franchit que la barre de 1,80 mètre (niveau d'expectation). Reuchlin (*op. cit.*) appelle ce niveau « l'information actuelle ». Le niveau d'expectation correspond donc à un but réaliste, à la performance attendue par le sujet, alors que le niveau d'aspiration correspond à un but idéal, à un objectif auquel la personne « aspire ». Le niveau d'expectation dépend beaucoup de la confiance en soi et du phénomène de l'attribution causale — sur lequel nous reviendrons plus bas.

Fenouillet (in Chappaz, 1996) souligne que le but que se fixe une personne peut influencer considérablement son comportement face à une difficulté : « Locke (1967) avait observé que les individus qui obtenaient les scores les plus élevés à une épreuve étaient également ceux qui avaient pour but d'atteindre les scores les plus hauts avant le début de l'épreuve » (p. 111). Deux conditions sont nécessaires pour que le but fixé conduise à une meilleure performance : tout d'abord, le but doit être difficile à atteindre ; ensuite, le but doit être spécifique, c'est-à-dire suffisamment précis pour que l'élève le comprenne parfaitement (par exemple, effectuer un nombre précis d'additions dans un temps donné). La « règle des trois C » peut être appliquée ici : décrire le **c**omportement attendu, les **c**onditions de réalisation et les **c**ritères précis que doit atteindre l'élève (Legrain, 2003, p. 66).

Dans une expérience récente (1998), Fenouillet a pu montrer que l'assignation d'un but difficile et spécifique augmente la performance de 10 à 20 %. De plus, le chercheur relève que « les sujets qui ont un but spécifique sont plus enclins à employer des stratégies d'apprentissage que ceux qui n'ont pas de but » (*op. cit.*, p. 112). Il semblerait que les buts difficiles, mais accessibles, sont très motivants parce qu'ils induisent chez l'élève « un sens d'accomplissement personnel » (Vallerand et Thill, 1993, p. 396).

Plusieurs auteurs ont également étudié le rôle que joue le but fixé selon qu'il est proche ou éloigné (« perspective temporelle »). Bandura, dans une expérience relatée par Lieury et Fenouillet (2002, p. 10), a comparé l'effet sur l'apprentissage des élèves et leur sentiment d'efficacité s'ils se fixaient un but proche ou un but éloigné. Dans cette expérience, on propose à des élèves âgés de 8 ans, particulièrement faibles en maths, des exercices sur des soustractions — qu'ils effectuent à leur vitesse durant plusieurs sessions. On demande également à ces élèves d'estimer leur sentiment d'efficacité. « Les résultats indiquent que les élèves ayant un but proche (faire 6 pages du cahier à chaque session) ont un plus grand sentiment d'efficacité (autoefficacité perçue) en fin de test que ceux qui avaient un but lointain (le but est de faire 42 pages dans la totalité des sessions). On constate également que le but proche permet une performance meilleure en nombre de problèmes résolus » (*op. cit.*). Il semblerait donc que les efforts de l'élève sont plus importants si le délai qui le sépare de l'atteinte de l'objectif est court.

De nombreux auteurs relèvent également l'importance de proposer aux élèves des activités d'apprentissage qui ne soient ni trop simples ni trop complexes (Archambault et Chouinard, 1996 ; Viau, 1997 ; Giordan, 1998 ; OCDE, 2000 ; Fenouillet, 2003). Si l'activité est trop facile, l'élève y trouve peu d'intérêt ; si elle est trop difficile, il risque de se décourager, de perdre confiance dans ses compétences et d'utiliser des stratégies d'évitement. « Les recherches sur la curiosité révèlent que les gens cessent de s'intéresser à une tâche quand elle est si simple qu'elle devient ennuyeuse ou si complexe qu'elle semble décousue et dénuée de sens » (OCDE, 2000, p. 34). L'activité doit également constituer un défi pour l'élève et lui demander de se dépasser.

Le concept de « zone proximale de développement » de Vygotsky (1985) permet de bien situer l'enjeu pour l'enseignant : proposer à l'élève une tâche suscitant un apprentissage se situant au niveau potentiel de développement de l'enfant. Comme le relève Dias (2003), « c'est sur les fonctions potentielles de l'enfant que doivent se baser l'enseignement et l'apprentissage » (p. 150). Les situations d'apprentissage proposées par l'enseignant devraient donc précéder le développement de l'enfant et se situer entre son niveau actuel de développement et son niveau potentiel. La médiation de l'adulte est ici déterminante : avec l'aide de l'adulte, l'enfant devient capable de réaliser une tâche plus complexe que celle qu'il aurait pu réaliser seul. Comme le relève Crahay (1999), « l'adulte est par nature un agent de développement dans la mesure où il médiatise la relation de l'enfant au monde des objets en guidant, planifiant, régulant, parachevant ses actions » (p. 327).

Pour l'enseignant, le choix de la tâche proposée à l'enfant est par conséquent fondamental pour susciter sa motivation et pour engager l'enfant dans des apprentissages favorisant son développement. Dans notre pratique d'enseignant spécialisé, nous avons constaté — trop souvent — que les élèves en difficulté étaient confrontés à des tâches beaucoup trop complexes pour eux. La situation dans laquelle se trouvent alors ces enfants tue leur motivation, les conduit à une forme de résignation et induit, de plus, un sentiment d'incompétence. Les élèves ne perçoivent plus alors de relation entre l'effort qu'ils produisent et le résultat qu'ils obtiennent. Nous aborderons plus loin (composante 7) l'effet dramatique de la *résignation acquise* sur les processus motivationnels.

4

LA MOTIVATION POSITIVE ET LA MOTIVATION NÉGATIVE

On parlera de **motivation positive** quand le sujet cherche à réaliser une performance (sportive, cognitive, scolaire, ...) ou à obtenir une satisfaction. Elle se manifeste en général par une attente positive et est marquée par un espoir de réussite.

À l'opposé, la **motivation négative** procède de la peur. Elle cherche à éviter un comportement désagréable ou à échapper à un danger. Elle s'exprime par la crainte de l'échec.

La motivation positive et la motivation négative sont en lien direct avec le phénomène d'attribution causale (locus of control). Perez, Minsel et Wimmer (1990, p. 157) soulignent que « les individus motivés par la réussite ont tendance à attribuer leurs réussites à leurs propres capacités et leurs échecs à un manque de travail. En revanche, les individus motivés par l'échec ont tendance à imputer les premières au hasard et les seconds au fait qu'ils sont peu doués ». Nous reviendrons plus loin, avec les apports de la psychologie cognitive, sur le lien important qui existe entre la motivation scolaire et la conception que l'élève se fait de l'intelligence.

Soulignons encore que, pour être motivé positivement ou négativement, l'élève doit anticiper les récompenses et/ou les sanctions et donc attribuer une valeur au résultat attendu de l'action (valence).

Le phénomène de la *réactance psychologique* (Fenouillet, 2003) peut également être présenté ici : il s'agit de la réaction paradoxale qui veut que la motivation peut naître de l'interdit. Des expériences ont montré, par exemple, que le jouet qui est placé derrière une barrière — et qui est donc inaccessible — a un pouvoir d'attraction supérieur pour des enfants de deux ans à un jouet qui est à portée de la main. La phrase « quand quelque chose est interdit, je pense souvent que c'est exactement ce que j'aimerais faire » résume bien le phénomène (*op. cit.*, p. 83). Les recherches ont montré que l'attractivité de l'alternative interdite ou limitée est plus forte dans certaines conditions :

- si la privation sera effective dans un avenir proche ;
- si la restriction est injustifiée ou illégitime ;
- si la privation de liberté est longue ; etc.

L'enseignant, s'il désire provoquer la motivation par *réactance psychologique*, pourra par exemple interdire formellement aux élèves d'effectuer tous les soirs trois exercices d'entraînement à l'accord des participes passés des verbes pronominaux : il verra alors ses élèves se précipiter sur leur cahier d'exercices pour braver l'interdit !

La nature humaine est bien étrange...

5

MOTIVATION PAR LES FINALITÉS ET MOTIVATION PAR LES MOYENS

La Garanderie (1991) distingue deux types de motivation : la motivation par les finalités et la motivation par les moyens.

Le sujet **motivé par les finalités** polarise son énergie et son attention vers un but déterminé, au risque de ne pas se donner les moyens d'atteindre son objectif. Par contre, s'il est **motivé par les moyens**, le sujet risque de se perdre dans la maîtrise technique que requiert l'activité et de ne plus apercevoir le but que ces moyens sont sensés lui permettre d'atteindre : « La conscience motivée qui se polarise exclusivement sur les fins demeure impuissante à réaliser quoi que ce soit et s'absorbe dans une contemplation stérile. La conscience motivée qui n'envisage que les moyens se perd dans des activités mécaniques, sans aucune perspective de développement » (*op. cit.*, p. 20). Quoi qu'il en soit, « la non-prise en compte soit des premières, soit des secondes ne peut que conduire à l'échec de la motivation » (*op. cit.*).

Un rapprochement est possible, nous semble-t-il, entre la dynamique de la motivation de La Garanderie et celle de la « dimension prospective du projet » que développe Not dans deux de ses ouvrages (1987, 1989) : dans la pédagogie du projet, on se fixe des objectifs précis et on cherche à se donner les moyens de les atteindre. Not s'étonne en fait que « l'école ait jusqu'ici ignoré cette force prodigieuse que représente la tension vers l'avenir et le caractère dynamogénique du projet » (1989, p. 41). Pour lui, en effet, « le but appelle à l'action » (*op. cit.*, p. 45).

Pour Lecomte également, « la meilleure façon de maintenir la motivation d'un élève consiste à combiner un objectif à long terme, qui fixe l'orientation du projet, avec une série de sous-objectifs accessibles, destinés à guider et à maintenir les efforts de l'élève tout au long de son parcours » (2005, p. 10).

Dans « Enseigner et faire apprendre » (1987), Not distingue le projet d'action (« ce que l'on a l'intention de faire ») et le projet de soi (« ce que l'on a l'intention d'être »). On comprend facilement que l'enseignant puisse développer sans difficultés particulières des projets d'action dans sa classe. Le projet de soi, par contre, paraît échapper *a priori* à toute tentative éducative structurée. Or, Not établit un lien très intéressant entre les deux types de projet. Selon lui, ils sont « indissociablement unis, car la personne se réalise dans ses actes » (p. 99). C'est donc à travers des projets concrets, en donnant à l'élève un but à atteindre (motivation par les finalités) et des moyens (motivation par les moyens) pour y parvenir, que nous lui permettrons d'acquérir un pouvoir d'action important et que nous l'aiderons ainsi à se construire et à se réaliser.

Notons encore qu'une focalisation trop importante de l'enfant sur les moyens risque de le détourner des apprentissages, donc de la finalité. Fenouillet (2005) présente, à ce sujet, une recherche très intéressante dans laquelle il propose aux élèves d'apprendre des notions sur la préhistoire à partir de deux moyens différents, l'ordinateur et le papier. Les résultats montrent que les élèves sont motivés de manière plus importante lorsqu'ils travaillent sur l'ordinateur ; ils passent notamment plus de temps à lire le texte sur la préhistoire. Cependant, ces mêmes élèves obtiennent des résultats deux fois plus faibles au test final, alors même qu'ils ont passé deux fois plus de temps à lire le texte ! De plus, l'intérêt pour le travail à l'ordinateur n'a aucune influence sur l'intérêt des élèves concernant le thème abordé (la préhistoire). « Cette étude indique donc que l'introduction de l'informatique a certes un impact sur la motivation de l'élève, mais qu'il convient d'une part de faire une différence entre contenu (la préhistoire) et contenant (l'ordinateur ou le papier) » (*op. cit.*, p. 50). Autrement dit, s'il s'agit de donner des moyens motivants à l'élève, il faut impérativement s'assurer que la finalité de l'apprentissage ne disparaisse pas derrière la ludicité du matériel et l'attractivité des moyens proposés.

En conclusion, nous pouvons donc dire que l'enseignant devra, idéalement, permettre à l'élève de comprendre à la fois les objectifs proximaux de la tâche, leur inscription dans des buts distaux — leur donnant tout leur sens — et les moyens permettant de les atteindre.

6

ATTRIBUTIONS CAUSALES ET CONTRÔLABILITÉ

Une autre composante déterminante de la motivation scolaire concerne la manière dont l'élève interprète ses réussites et/ou les difficultés qu'il rencontre. Cette recherche des causes peut amener l'enfant à attribuer ses résultats à autrui (hétéro-attribution) ou à lui-même (auto-attribution). Weiner (1983 ; 1985) a beaucoup étudié ce phénomène et développé la théorie de l'*attribution causale*. Les implications dans le domaine de la motivation scolaire seront analysées dans ce chapitre.

Weiner propose de distinguer trois dimensions principales (tableau 1) qui permettent de dresser une typologie des causes invoquées par l'élève face à un succès ou à un échec :

1. **Le lieu de la cause** : l'élève peut attribuer ses performances à des *causes internes* ou à des *causes externes*. Par exemple, l'intelligence, les efforts accomplis, les capacités personnelles, les stratégies utilisées sont des causes internes, alors que la difficulté de l'épreuve, la qualité de l'enseignant, les conditions de travail, l'aide reçue, la chance sont des causes qui ne sont pas propres à l'enfant.

   Lorsqu'il échoue dans un exercice de lecture — une étude de texte par exemple — l'élève pourra invoquer la fatigue due à une longue nuit d'étude précédant l'épreuve (cause interne) ou accuser l'enseignant qui leur a soumis un texte beaucoup trop difficile (cause externe).

2. **La stabilité de la cause** : il s'agit ici de la dimension temporelle de l'attribution causale. L'enfant peut penser que la cause de ses difficultés est permanente ou, au contraire, passagère et donc modifiable. C'est pourquoi les élèves qui attribuent leurs difficultés à un manque d'effort (*cause modifiable*) ne souffrent pas du sentiment de résignation dont sont victimes ceux qui pensent qu'ils ne sont pas intelligents (*cause stable*) : les premiers pourront mieux travailler la prochaine fois, alors que les seconds seront persuadés que, de toute façon et quoi qu'ils fassent, ils ne réussiront jamais.

3. **La contrôlabilité** : la troisième dimension — qui entretient des liens très étroits avec les deux autres — nous paraît particulièrement importante pour comprendre la motivation de l'élève. Elle con-

cerne le sentiment qu'a l'enfant de pouvoir contrôler la situation. La cause est sous le pouvoir de l'enfant (*cause contrôlable*) si, par exemple, il attribue ses difficultés à un manque d'effort ou à la fatigue. Dans ce cas, il suffira à l'enfant de consacrer plus de temps à l'étude ou de se coucher un peu plus tôt. Par contre, si l'enfant pense que la situation, quels que soient ses efforts, n'est pas sous son contrôle (*cause incontrôlable*), il démissionnera et ne s'engagera pas dans la tâche. Par exemple, si l'enfant pense qu'il n'a pas la bosse des maths — ou, pire encore, qu'il n'est pas intelligent — il renoncera à s'impliquer dans les apprentissages scolaires.

L'approche cognitive et métacognitive apporte à ce propos des outils de remédiation tout à fait intéressants. L'apprentissage des stratégies efficaces permet à l'enfant de retrouver du pouvoir sur ce qui lui arrive et le contrôle de la situation. Nous pensons ici à un élève, Christian, que nous avons accompagné pour des difficultés d'orthographe et qui était tout à fait résigné face à son problème. Il obtenait toujours des notes catastrophiques en dictée — et ce, depuis plus de trois ans — alors qu'il passait des heures dans la préparation de ses leçons. Les entretiens que nous avons eus avec lui nous ont aidé à mieux comprendre sa situation : Christian attribuait ses difficultés à une tare orthographique qui s'acharnait, depuis plusieurs générations, sur sa famille. Un travail sur les stratégies efficaces d'apprentissage de la dictée, ainsi que sur l'attitude qu'il devait adopter durant l'exercice de dictée en classe, lui ont permis, très rapidement, de comprendre pourquoi il se trouvait jusque-là en difficulté. Il a pu ainsi apprendre une procédure efficace d'apprentissage de ses dictées et retrouver enfin du pouvoir sur ses difficultés.

L'apprentissage des procédures, des stratégies, des démarches efficaces relève, en réalité, de causes stables (« lorsque je maîtrise la stratégie, je dispose d'un moyen que je peux solliciter à l'envi »), internes (« l'utilisation de la stratégie dépend uniquement de moi ») et contrôlables (« puisque je maîtrise la stratégie efficace, la situation est sous contrôle »).

Tableau 1

Attributions causales (d'après Viau, 1997, p. 67)

	INTERNE		EXTERNE	
	Stable	**Modifiable**	**Stable**	**Modifiable**
Contrôlable	Stratégies d'apprentissage	Effort	Programme scolaire	Perceptions de l'enseignant
Incontrôlable	Aptitudes intellectuelles	Maladie	Niveau de difficulté d'une activité	Humeur de l'enseignant

Ce qu'il faut absolument comprendre, c'est que la motivation d'un élève est grandement influencée par la façon dont il perçoit les causes de ses réussites ou de ses difficultés. Un élève peut, par exemple, attribuer ses réussites dans la résolution des problèmes mathématiques à une intelligence supérieure ou à la présence — discrète, mais néanmoins bougrement efficace — d'une « bosse des maths ». Face à une réussite égale, un autre élève attribuera ses bons résultats aux efforts fournis. Un autre encore pourra justifier sa réussite par l'utilisation efficace de stratégies de résolution apprises en classe. Malheureusement, souvent, l'élève — mais également parfois les enseignants et les parents — attribue la réussite scolaire à quelque bonne disposition héréditaire et à une intelligence innée (qui relèvent d'une cause incontrôlable).

Les attributions causales ne sont donc pas des données observables, objectives, mais sont le fruit d'un jugement que l'enfant porte sur ses résultats. Le sentiment de contrôlabilité dépend donc des représentations que se fait l'enfant des différentes dimensions causales. Par exemple, s'il considère que l'intelligence est évolutive et modifiable — ce qui, malheureusement est encore trop rare — il investira le domaine scolaire pour enrichir ses connaissances et devenir « plus intelligent ». Par contre, s'il est en difficulté et pense que l'intelligence est innée et fixe, il évitera de s'engager dans des tâches qui lui prouveront probablement, une nouvelle fois, qu'il n'a aucun pouvoir sur ce qui lui arrive.

Si les attributions sont le résultat d'un jugement que l'élève porte sur ses compétences, elles sont également médiatisées par les émotions qui y sont associées. L'attribution de ses résultats à ses propres capacités développe, par exemple, la confiance en soi ; l'attribution à la chance de la réussite ou de l'échec va susciter la surprise, etc. (Fenouillet, 2003).

Précisons encore que certains enfants généralisent la cause de leurs difficultés — qui étaient à l'origine bien définies et circonscrites — à toutes les situations qu'ils rencontrent (surgénéralisation). Le « j'ai mal réussi mon exercice de grammaire » devient « je suis nul en français », puis « de toute façon, je ne suis pas intelligent ». Il existe donc un fort risque de contamination d'une difficulté passagère à une mauvaise estime de soi en tant que personne. Or la motivation est très liée à l'*image de soi*. En effet, personne n'est prêt à faire des efforts sans avoir la conviction qu'il est capable de réussir (Lévy-Leboyer, 1999). L'enseignant sera par conséquent attentif à aider l'enfant à circonscrire sa difficulté (« tu as des difficultés dans la lecture des nouveaux mots » et non « j'ai bien peur que tu sois dyslexique »).

Signalons également le lien intéressant établi par plusieurs auteurs entre le sentiment de contrôlabilité et la motivation intrinsèque : « Si la personne explique les événements ou sa performance par des causes qu'elle ne peut pas contrôler, elle ne pourra pas développer une motivation intrinsèque, car elle n'y trouvera aucune donnée maîtrisable. Dans les apprentissages et l'enseignement, il est donc impératif d'insister sur les causes contrôlables » (Dias, 2003, p. 72). L'intérêt pour une tâche naît donc d'un fort sentiment personnel de compétence et d'une possibilité manifeste d'autodétermination. Si, par exemple, un élève ne se sent pas compétent pour accomplir une tâche (sentiment faible de contrôlabilité) et qu'il a le choix de l'accomplir ou non (autodétermination), il aura tendance à fuir l'activité. D'autre part, si l'élève se sent compétent (fort sentiment de contrôlabilité), mais que l'enseignant est très directif (peu d'autodétermination), il aura tendance à se rebeller et à revendiquer un peu de liberté. Un schéma tout à fait explicite permet de visualiser l'articulation de ces composantes (selon Lieury, 1997 ; Legrain 2003) :

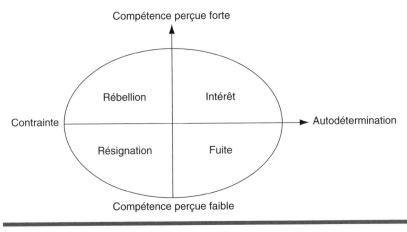

FIGURE 3
Schéma de la motivation, selon Lieury, 1997

De nombreuses recherches ont tenté par ailleurs d'établir le lien entre les attributions causales, la réussite scolaire et la motivation des élèves. Huart (2001, p. 230) nous en donne les principaux résultats :

- les élèves qui réussissent à l'école attribuent leur succès aux efforts qu'ils fournissent, ainsi qu'à leurs capacités intellectuelles ;

- les « bons » élèves expliquent leurs échecs par des causes internes, transitoires et contrôlables (par exemple, ils disent ne pas avoir assez travaillé) ;

- certains élèves faibles se déchargent de toute responsabilité et attribuent systématiquement leurs difficultés à des causes externes (« ce prof est nul », « il y a trop de bruit dans cette classe ») ;

- d'autres élèves en difficulté attribuent leurs échecs à un manque d'effort ;

- certains enfants utilisent une stratégie défensive en évitant de trop s'investir dans la tâche : « si j'échoue, c'est parce que je n'ai pas montré ce dont je suis capable ». De telle sorte, ils préservent une image positive d'eux-mêmes ; ils préfèrent ainsi se réfugier derrière leur passivité, plutôt que prendre le risque d'échouer en travaillant sérieusement ;

– enfin, les élèves résignés (cf. chapitre suivant) attribuent leurs réussites à des causes externes comme la chance et leurs difficultés à des causes internes, stables et incontrôlables comme leur intelligence.

En résumé, on peut donc affirmer que « la croyance en l'incapacité de pouvoir agir sur les causes du succès ou de l'échec a des effets négatifs sur la motivation parce que l'élève croit alors que toute action qu'il pourrait entreprendre n'aurait aucun effet véritable sur son rendement. À l'opposé, la croyance en la contrôlabilité des résultats peut avoir un effet très positif lorsqu'elle accompagne une attribution à l'intelligence ou à l'effort. L'élève perçoit alors mieux qu'il peut réussir à condition d'exercer un contrôle suffisant et efficace sur son activité, et ce, grâce aux stratégies d'apprentissage » (Archambault et Chouinard, 1996, p. 111).

Le rôle de l'enseignant est donc de permettre aux élèves d'attribuer leurs réussites ou leurs échecs à des causes qui sont sous leur pouvoir. « Ces causes sont nécessairement **évolutives**, sinon le changement est impossible ; elles sont **spécifiques**, sinon le changement exige de « transporter des montagnes » ; elles sont la plupart du temps **internes**, sinon le changement risque d'être hors de la portée de l'élève » (Tardif et Couturier, 1993, p. 36).

7

RÉSIGNATION APPRISE OU IMPUISSANCE ACQUISE

Le sentiment de résignation ou d'impuissance est, comme nous venons de le voir, une conséquence directe de l'attribution de ses difficultés, par l'élève, à des causes internes, stables et incontrôlables. Ce phénomène, dont l'étude a débuté à la fin des années soixante (Seligman, 1971), est connu sous les termes de **sentiment d'incapacité acquise** ou **résignation apprise** ou encore **impuissance acquise** (*learned helplessness*). Certains auteurs parlent également d'**amotivation**. Le sentiment d'incapacité et de résignation se développe chez l'élève qui constate que les résultats obtenus sont incontrôlables par ses actions. Celui-ci développe alors une passivité importante face aux événements. En fait, la résignation acquise se manifeste lorsqu'une personne ne perçoit plus de relation entre ce qu'elle fait et les résultats de son action. Dans ce cas, « l'absence de motivation, loin d'être une déficience, est le fruit d'une construction personnelle et sociale chez les élèves en difficulté » (Astolfi, 1997, p. 5). Autrement dit, la résignation n'est ni un trait de caractère ou de personnalité, ni la marque du destin, mais le résultat de l'apprentissage par l'élève que ses efforts sont inutiles.

Ce qu'il faut comprendre, c'est que la réaction de démission est provoquée par la croyance — construite par l'enfant suite à des échecs répétés — que quoi qu'il fasse, il n'arrivera à rien. Ainsi, la résignation acquise est probablement la forme la plus extrême de perception d'incontrôlabilité qu'un élève puisse vivre. L'élève est alors amené à croire que l'échec est inévitable et qu'il ne peut rien faire pour éviter le pire. Les premières expériences, menées par Seligman avec des chiens (cf. Crahay, 1996), permettent de mieux comprendre le phénomène.

Un chien est placé dans une cage divisée en deux compartiments. Des chocs électriques sont délivrés dans le premier compartiment, mais le chien peut sauter par-dessus une barrière et éviter le choc (un signal sonore le prévient à l'avance). Le chien apprend évidemment très rapidement à changer de compartiment et éviter le choc. Il développe, par la même occasion, un « sentiment » de contrôlabilité.

On renouvelle ensuite l'expérience avec un autre chien, mais on lui interdit le passage dans le deuxième compartiment en cloisonnant les compartiments à l'aide d'une vitre. Le chien ne peut donc éviter les chocs électriques et constate qu'il n'a aucun pouvoir sur ce qui lui arrive. On enlève ensuite la cloison et on observe que le chien ne profite pas de l'occasion pour sauter par-dessus la barrière et éviter ainsi les chocs électriques. Le chien a donc « appris la résignation » et son « sentiment » d'incapacité — développé dans la première phase de l'expérience — ne lui permet pas de retrouver le contrôle de la situation lorsque, pourtant, il est possible.

Des expériences analogues — moins cruelles heureusement, mais tout aussi instructives — ont été menées avec des personnes (les sujets doivent, par exemple, tenter d'arrêter un son fort et désagréable). Le constat est identique : mises dans un premier temps dans une situation d'incontrôlabilité, les personnes deviennent résignées, se sentent totalement impuissantes et ne cherchent plus de solutions à leur difficulté.

Dans le domaine scolaire, Dweck (1986, 1989) a constaté que les élèves souffrant d'un sentiment d'incapacité acquise démissionnent lorsqu'ils se trouvent face à une difficulté ou une tâche nouvelle, alors que les autres élèves se montrent stimulés par la difficulté. Le sentiment d'incontrôlabilité a donc des conséquences directes sur les processus motivationnels de l'enfant. Si l'élève doute de ses capacités, il renoncera à affronter une tâche nouvelle ou difficile.

Précisons également que la résignation peut concerner uniquement un domaine particulier (Fenouillet, 1996, 2003, parle de *résignation spécifique*) ou apparaître dans toutes les situations (*résignation globale*). Par exemple, un élève peut attribuer ses difficultés en orthographe à un manque d'aptitudes (résignation globale) ou à un manque d'effort (résignation spécifique).

Nous pouvons souligner ici les liens étroits qui existent entre la résignation apprise, le sentiment de contrôlabilité et les attributions causales. Comme le souligne Fenouillet (1996, p. 101), « l'explication en terme d'un enchaînement qui, pour le sujet, va de l'événement incontrôlable jusqu'à l'apprentissage de la résignation, suppose pour être valide de prendre en compte les *attributions* qu'il peut effectuer face à cette incontrôlabilité. En effet, l'homme mis face à un événement incontrôlable va chercher à constituer des causes à ce manque de contrôle ».

Nous pouvons également établir un lien intéressant avec la réflexion développée dans le champ de la théorie sociocognitive par Bandura (1976, 2003) : pour lui, l'auto-efficacité — ou sentiment d'efficacité personnelle — est le fondement de la motivation et de l'action. Elle concerne la perception de son efficacité personnelle et la conviction subjective qu'a l'élève de sa capacité à réussir (expectation d'efficacité) [2]. Le psychologue parle à ce propos d'*agentivité personnelle* pour montrer que le sujet est l'agent de son comportement et qu'il a le pouvoir d'être à l'origine de ses actes. Pour Bandura, la croyance en l'efficacité personnelle constitue le facteur clé de cette agentivité. Le sentiment d'efficacité personnelle perçue concerne donc bien la croyance de l'individu en ses capacités à atteindre les objectifs fixés et à produire les effets souhaités. Le sentiment d'auto-efficacité peut être spécifique à une activité ou plus générale — et concerner tout un domaine d'activités. Pour Bandura, l'effet motivationnel des attributions est presque entièrement médiatisé par le sentiment d'efficacité personnelle.

La perception de l'auto-efficacité influence donc :

–   les attributions causales : les individus qui ont un sentiment élevé d'auto-efficacité mettent en avant l'investissement personnel ; ceux qui ont un sentiment bas d'auto-efficacité privilégient le manque d'habileté ;

–   les attentes : ceux qui ont un sentiment élevé d'auto-efficacité prévoient de réussir alors que ceux qui ont un sentiment bas d'auto-efficacité pensent ne pas réussir et ne s'impliquent pas pour y arriver ;

–   les objectifs : ceux qui ont un sentiment plus élevé d'auto-efficacité ont des objectifs plus concrets et bien définis. (Moè et De Beni, 2001, in Doudin *et al.*, p. 109)

Le concept d'*origine-pion* proposé par deCharms (1976) est également proche de la problématique soulevée ici : les individus dévelop-

---

2.   Carré (2001, p. 55) montre à ce propos le lien important qui existe entre les notions de « perception de compétence » de Deci et Ryan, « d'expectance » de Vroom ou encore « d'auto-efficacité » de Bandura.

pent une tendance globale à se percevoir comme étant à « l'origine » de leurs comportements ou, au contraire, ont un comportement de « pion », subissant les pressions et contraintes extérieures. De façon globale, un « origine » croit que son comportement est déterminé ou contrôlé par ses propres choix. À l'opposé, un « pion » croit que son comportement est contrôlé par des forces extérieures sur lesquelles il n'a aucun contrôle (cf. Vallerand et Thill, 1993). Le « pion » a donc intériorisé un sentiment de résignation et d'impuissance puisque ses comportements sont perçus comme échappant à son contrôle.

8

DE LA RÉSIGNATION AU SENTIMENT DE CONTRÔLABILITÉ

Soit, donc : un enfant résigné n'est pas motivé. Mais que peut faire le parent ou l'enseignant face à ce sentiment d'incapacité acquis ? Crahay (1996) nous apporte des réponses tout à fait intéressantes pour lutter contre ce phénomène. Son hypothèse est claire : « Il ne suffit pas de connaître des succès pour rompre avec cette attitude de résignation, il faut cesser d'attribuer ses échecs et ses difficultés à des causes internes, stables et incontrôlables » (p. 220). Autrement dit, le meilleur moyen de développer son sentiment de compétence est de vivre des expériences de réussite et de comprendre pourquoi on les a réussies.

Pour vérifier cette hypothèse, il présente les résultats obtenus par Dweck lors d'une expérience menée en 1975 déjà.

> Dans le premier groupe expérimental, les apprentissages proposés aux enfants leur ont permis de progresser pratiquement sans commettre d'erreurs. Les élèves ont donc vécu une expérience de réussite importante (90 % des exercices sont couronnés de succès). Dans le second groupe, des éducateurs ont accompagné les enfants lorsque ceux-ci étaient confrontés à des difficultés. Concrètement, les adultes intervenaient auprès des enfants pour souligner la contrôlabilité de la situation. « Les résultats sont sans ambiguïté : si les élèves appartenant aux deux groupes semblent avoir réalisé des gains de connaissance comparables, ceux qui ont dépassé leur sentiment d'incapacité acquis appartiennent tous au second groupe et ils sont nombreux ! » (*op. cit.*, p. 221).

Pour l'adulte, le message est clair : l'enfant doit développer, grâce à l'enseignant ou au parent, le sentiment de contrôler la situation, d'avoir du pouvoir sur ses apprentissages et doit attribuer ses réussites et ses difficultés à des causes qu'il peut maîtriser. Pour l'enfant, l'enjeu n'est pas, d'abord, de réussir ou d'échouer, mais d'attribuer à ses performances des causes sur lesquelles il peut agir. « Les événements ont moins d'importance par eux-mêmes que par la signification qu'on leur confère. Une réussite n'a de valeur réelle que si l'on attribue à ses capacités propres » (*op. cit.*, p. 221).

Dans un autre ouvrage, Crahay (1999) donne un exemple de ce phénomène : « L'attribution de l'échec par des enfants à un manque d'intelligence diminue les espoirs qu'ils ont de réussir dans le futur, induit une diminution de la persistance dans la réalisation des activités et conduit ces enfants à développer des comportements inefficaces en présence des difficultés. En revanche, si les enfants attribuent leur échec à un manque d'efforts ou à l'utilisation de mauvaises stratégies (causes sous leur pouvoir), ils conservent l'espoir de réussir et demeurent persévérants dans la réalisation des activités » (p. 285).

Nous aimerions souligner une nouvelle fois ici l'importance déterminante de l'apprentissage des stratégies efficaces dans la dynamique motivationnelle. Les efforts de l'élève — souvent très importants — sont parfois très mal récompensés. Or, ses résultats décevants sont souvent dus à une méconnaissance des stratégies et des procédures efficaces. Leur apprentissage permet très souvent de remotiver l'enfant en lui donnant à nouveau du pouvoir sur ses apprentissages. L'enseignant privilégiera évidemment ici les approches cognitives et métacognitives.

L'adulte — parent ou enseignant — pourra également amener les enfants à attribuer leurs difficultés à un effort insuffisant plutôt qu'à un manque d'aptitudes ou à une intelligence médiocre. Comme l'a remarqué Dweck (1975), « cet entraînement attributionnel a amené les enfants résignés vers une plus grande persistance dans la tâche expérimentale et également à avoir de meilleures performances » (Fenouillet, 1996, p. 104). L'enjeu de l'aide est finalement de permettre à l'enfant de retrouver des causes internes, modifiables et spécifiques à ses difficultés (Demnard, 2002).

L'attitude de l'enseignant est capitale pour permettre à l'enfant de se montrer différent et de réussir aujourd'hui ce qu'il avait échoué hier. Souvent, en effet, l'enfant se conforme aux représentations que se fait l'adulte de ses compétences (effet Pygmalion). À ce propos, Astolfi (1997) relate une étude aux résultats troublants : « Quand on affiche *a priori* les différences de niveau entre élèves (...), les résultats sont conformes aux attentes. Mais il suffit que tous les élèves soient présentés comme étant d'égal niveau et de leur promettre l'anonymat final pour qu'ils s'inversent complètement, les élèves en difficulté devançant les bons ! » (p. 6).

Il semblerait donc que le sentiment de contrôlabilité ou de résignation dépend également du statut de l'élève dans le groupe. « Tout se passe comme si les « bons » ne donnaient pas le maximum quand ils perdent le statut valorisé qui leur est habituel, et comme si les « mauvais » pouvaient réussir à l'abri des regards mais n'étaient pas en mesure de soutenir publiquement une telle situation nouvelle pour eux » (*op. cit.*).

Dans certaines conditions, l'anonymat permet donc aux élèves en difficulté de montrer de bonnes compétences, alors que les « bons » élèves semblent moins motivés à faire des efforts puisque leur image de « bon élève » n'est pas en jeu (Lieury et Fenouillet, 1996).

Notons enfin, pour conclure ce chapitre et en résumé, que la motivation est maximum lorsque le sentiment de contrôlabilité peut s'appuyer sur une forte autodétermination et une bonne perception de ses compétences. Autrement dit, si l'enseignant permet à l'élève de choisir l'activité d'apprentissage en s'assurant que ce dernier se sent capable de réussir et qu'il a les moyens de contrôler la situation, sa motivation sera très forte.

CHAPITRE 4

Les théories explicatives

Nous avons donné jusqu'ici plusieurs définitions de la motivation que nous avons approfondies en développant les différentes composantes du concept.

Nous désirons maintenant voir de quelle manière les principales théories psychologiques ont abordé la question. Nous présenterons d'abord les apports premiers de l'approche psychanalytique qui remonte aux sources mêmes de la motivation humaine. Nous nous intéresserons ensuite à la théorie béhavioriste, puis à la démarche humaniste. La motivation dans la psychologie cognitive constituera le chapitre suivant. Nous conclurons enfin ce survol des théories explicatives par la « théorie de la motivation humaine » de Nuttin.

1

LA MOTIVATION DANS LA THÉORIE PSYCHANALYTIQUE

La psychanalyse aborde la question de la motivation dans le registre affectif et la considère comme une caractéristique individuelle de la personne. Dans ce chapitre, nous aborderons tout d'abord les théories de « réduction de tension » qui servent de base au modèle psychanalytique. Nous présenterons dans un second temps les principaux stades de développement en analysant leur influence sur la motivation. Nous aborderons également le lien entre le principe de plaisir, le principe de réalité et la motivation. Nous conclurons cette rapide présentation en soulignant les limites du modèle psychanalytique dans l'approche scolaire de la motivation.

1.1 – Le modèle de réduction de tension ou « modèle homéostatique »

Ce modèle a inspiré les premières définitions que nous avons présentées au chapitre 2. Il reprend les concepts d'énergie, de besoin et de tension. Il suppose qu'une tension désagréable, associée à une pulsion, exige une libération d'énergie qui pousse le sujet à l'action. Celui-ci vise donc à **réduire la tension** due à un surcroît d'énergie de l'appareil psychique. Cette décharge d'énergie produit le retour à l'équilibre (**homéostasie**).

Une situation classique permet d'exemplifier le phénomène : l'état de besoin créé par la faim suscite une pulsion qui pousse à la recherche de nourriture. La satisfaction apportée par la consommation de nourriture éteint et le besoin et la pulsion. L'équilibre est provisoirement rétabli et le sujet peut s'installer dans son fauteuil pour lire le journal !...jusqu'au moment où il sentira le besoin de fumer une cigarette, créant ainsi une pulsion qui va le pousser de nouveau à l'action.

Pour Develay (1996), il est nécessaire de clarifier les termes voisins de besoin, demande, désir et motivation. Le *besoin* correspond à ce qui est nécessaire pour vivre. La situation que nous venons de présenter correspond donc bien à un besoin. Celui-ci a une dimension organique : ainsi, nous devons manger, dormir, respirer, etc. La *demande* correspond à ce que le sujet exprime. Elle peut donc être suscitée par un besoin réel ou non. L'enfant peut, par exemple, formuler une demande qui ne correspond à aucun besoin réel. Quant au *désir*, il est l'écart entre le besoin et la demande. Il est donc souvent important de comprendre le désir qui se trouve derrière la demande. Enfin, la *motivation* correspond à la mise en mouvement du désir. Ce dernier doit être présent, mais il n'est pas suffisant. Dans l'apprentissage, il s'agit donc d'agir sur le désir et sur la motivation de l'élève.

1.2 – L'origine de la motivation

Selon la psychanalyse, l'origine de la motivation remonte au début de la vie et à la découverte du sein maternel. La mère devient alors le premier objet à connaître. Aumont et Mesnier (1992, p. 138) soulignent que « n'importe quel objet investi sera par la suite en lien avec ce premier objet/sujet. (...) C'est dans ce lien sein-bébé que s'origine le désir de connaître dont dépend le désir d'apprendre ».

Lors de la première année de la vie se réalisent également la lente différenciation sujet-objet, la perte de la toute-puissance et l'accès progressif au principe de réalité. Cette étape constitue un préalable indispensable à la conscience, par le sujet, de son ignorance. Or, comme le soulignent Aumont et Mesnier, « l'ignorance fait partie de la genèse de la connaissance et favorise la coupure sujet/objet et la reconnaissance par le sujet d'un objet-énigme » susceptible de motiver son appareil psychique. (*op. cit.*, p. 148)

Les psychanalystes voient ensuite dans la période d'opposition de l'enfant (2 ans ½-3 ans) un puissant moteur de la pensée. Le « non » que l'enfant érige sur le plan des affects correspond au conflit cognitif — dont on connaît l'importance depuis Piaget — sur le plan de la pensée. Les positions psychanalytiques et cognitivistes se rejoignent donc ici sur le rôle privilégié du conflit dans la démarche qui permet à l'enfant de grandir, de se construire, de conduire sa pensée et d'apprendre. Le passage du désir de savoir — « originé dans le non » — au conflit cognitif s'opère par le mécanisme de la sublimation. La négation est également au cœur du conflit entre le plaisir et la réalité. Si l'enfant refuse d'apprendre, ce peut être parce que l'apprentissage est souvent une démarche de prise de risque : je dois renoncer à mes représentations du savoir et tolérer une période de doute — entre le moment où je pensais savoir et celui où j'accède à une meilleure compréhension.

La motivation à connaître existe donc dès la naissance et se développe lors des premières années, mais au moment de l'Oedipe elle prend une forme plus précise d'investigation sexuelle insatisfaite qui se porte en particulier sur les relations des parents entre eux (Aumont et Mesnier, 1992). Le désir de savoir est alors sublimé en intérêts intellectuels : « La pulsion entravée dans son expression par les pressions sociales doit chercher des satisfactions indirectes d'où de nombreuses conséquences résultant de modifications ou déviations des buts premiers » (Deldime et Demoulin, 1975, p. 210). Si l'Oedipe se résout bien, des intérêts nouveaux apparaissent et l'enfant peut alors se tourner vers la connaissance du monde extérieur et acquérir une autonomie nouvelle.

La problématique oedipienne permet à l'enfant de découvrir que sa mère désire un autre que lui et qu'elle est l'objet du désir de cet autre. « La pulsion à connaître apparaît à ce moment liée à la libido sexuelle » (Develay, 1996, p. 94). La résolution du conflit oedipien peut déterminer le désir d'apprendre chez l'enfant. L'enfant qui a mal résolu son conflit psychologique va vouloir reproduire la situation avec son enseignant ou son enseignante (selon qu'il s'agisse d'un garçon ou d'une fille). Pour la psychanalyse, la motivation à apprendre peut donc s'interpréter comme une « expression résurgente inconsciente de la curiosité sexuelle archaïque de l'enfant » (Carré, 2001, p. 28).

La résolution de l'Œdipe peut entraîner trois comportements ultérieurs (Develay, 1996) :

-   le refoulement dans l'inconscient de la pulsion à connaître : « connaître apparaît comme dangereux. C'est le cas d'enfants en grand échec qui ont envie de savoir, mais peur d'apprendre » ;

- la sublimation, c'est-à-dire « un transport de pulsions sur un autre plan, un plan supérieur, de sorte que le désir de connaître fait place uniquement à une curiosité intellectuelle désincarnée » ;

- « la possibilité tout à la fois de transgression de l'interdit et de sublimation nourrie encore du désir de savoir. Connaître apparaît comme possible ».

La psychanalyse nous montre donc que la motivation de l'enfant se joue dans l'inconscient qui est, pour elle, le déterminant premier des conduites humaines. Parfois, l'élève agit par conséquent pour des motifs dont il n'est pas conscient et que l'adulte ne comprend pas. S'il n'est pas motivé à explorer le savoir, ce peut être, par exemple, parce qu'il refuse cet objet externe « qui se situe en rivalité avec le premier objet d'investissement pour l'enfant : la mère » (Aumont et Mesnier, 1992, p. 138).

1.3 – La pulsion « épistémophilique »

Comme nous venons de le voir, le plaisir de connaître se développe dans l'environnement affectif et social de l'enfant. Si le développement de ce dernier est normal, le désir de connaître est important. Comme le relève Vergnaud, « l'appétit de connaître est sans doute ce qui, au départ de la vie, est la chose la mieux partagée » (in Chappaz, 1996, p. 39). La psychanalyse appelle cet « appétit » la « pulsion à connaître » ou « pulsion d'investigation » ou encore « pulsion épistémophilique ».

Lors des premiers mois, le bébé fait l'expérience de l'absence de « l'objet ». Il comprend progressivement — ce qui suscite d'abord beaucoup de frustration — que l'objet d'investigation est extérieur à lui et qu'il est autre. Le petit enfant devient alors avide de connaître cet objet. Le désir de connaître est donc d'abord suscité par la frustration et le déplaisir. La pulsion épistémophilique trouverait donc son origine dans le désir de l'enfant de connaître cet « objet » extérieur qui est représenté, d'abord, par sa mère. Celle-ci n'est « pas seulement objet d'amour ou de haine, mais aussi objet de connaissance pour l'enfant » (Aumont et Mesnier, 1995, p. 142).

Pour la psychanalyse, la pulsion épistémophilique existe par conséquent dès la naissance. Le désir de connaître qui s'origine donc dans la relation mère-enfant devient progressivement désir de connaître la réalité. Pour certains enfants néanmoins, ce désir est inhibé : on parle alors d'épistémophobie — qui est la négation du désir de connaître : si le lien à l'objet désiré n'est pas possible, « il se crée une sorte de neutralisation de la perte ressentie afin qu'elle ne fasse plus souffrir le sujet. Mais celui-ci devra payer le prix de cette perte par celle de sa fonction cognitive » (op. cit., p. 153).

Cette pulsion épistémophilique peut également être entravée par une relation fusionnelle entre les parents et l'enfant. Apprendre, c'est s'émanciper. L'enfant peut donc être victime, dans son désir d'apprendre, d'une culpabilité inconsciente qui va entraver son développement : « l'individu qui tente de s'émanciper prend en effet le risque fantasmatique de perdre l'amour de ses parents, ce qui renvoie à la menace de mort que constituerait une telle perte pour le nouveau-né » (Hatchuel, in Pourtois *et al.*, 2002, pp. 75-76).

De plus, le Savoir peut être considéré comme un attribut parental. L'autonomisation de l'enfant s'inscrit alors « dans un jeu subtil entre le bon vouloir des adultes et les transgressions des jeunes » (*op. cit.*). Le rapport au savoir peut donc se révéler problématique si l'enfant ne s'autorise pas cette transgression ou si l'adulte ne lui permet pas d'accroître son pouvoir d'action en développant ses compétences et son savoir. « Le Savoir s'inscrit donc parfaitement dans cette problématique de l'autonomie et de la dépendance : apprendre, c'est s'émanciper, avec ou sans l'accord des parents, et par là même prendre le risque de perdre leur amour » (*op. cit.*).

1.4 – Principe de plaisir et principe de réalité

Durant les premières semaines déjà, le bébé se trouve constamment entre la frustration — créée par ses besoins non satisfaits — et le plaisir — lorsque ceux-ci sont comblés. Le bébé se construit et prend conscience de lui-même et des autres en expérimentant, alternativement, les principes de plaisir et de réalité.

À l'école, l'enfant vit aussi des expériences de satisfaction immédiate, mais également — et souvent — des moments de frustration où la réalité résiste et où il doit différer le moment du plaisir. L'élève doit donc accepter de vivre constamment entre réalité et plaisir s'il souhaite apprendre. En effet, l'apprentissage demande souvent du temps et l'enfant doit apprendre à différer le moment du plaisir. L'éducation doit donc permettre à l'enfant de se confronter aux difficultés et de tolérer la frustration.

Pleux (2001) souligne à ce propos que « le refus de la réalité et de ses contraintes est (...) peut-être une pathologie de l'enfant du début de siècle. Il était temps, au XXe siècle, que des voix s'élèvent pour que la réalité n'écrase pas, comme elle l'avait fait, l'enfance et sa richesse. Cette révolte légitime envers les modes traditionnels d'éducation, qui ne voyaient en l'enfant qu'un objet, semble désuète à une époque où l'enfant (en difficulté) manifeste au contraire une omnipotence remarquable, nie la réalité et tente de réifier autrui » (p. 217).

Dans son ouvrage, l'auteur insiste donc sur le nécessaire équilibre entre le principe de plaisir et le principe de réalité. Il parle « d'intolérance à la frustration » qui serait à l'origine des difficultés motivationnelles des enfants : « Le refus d'une contrainte ou la recherche d'une gratification immédiate conduisent à des dysfonctionnements importants pour apprendre et génèrent la plupart du temps une forte *démotivation* » (p. 172).

Pleux souligne également la responsabilité parentale dans cette dérive permissive. L'absence de lois fragilise l'enfant, ne lui permet pas de se construire en se confrontant au réel. Pour lui, « l'éducation non permissive, exigeante, contraignante mais positive doit redevenir une priorité domestique quotidienne, elle est le tremplin pour une meilleure acceptation des frustrations de la réalité en général et des exigences scolaires en particulier » (p. 189).

1.5 – Le modèle psychanalytique : réflexions critiques

Malgré l'intérêt évident que l'on peut porter à ce modèle, nous aimerions formuler deux remarques critiques qui touchent à l'intérêt de cette approche dans notre analyse de la motivation scolaire.

Tout d'abord, le « modèle de réduction de tension » — qui convient parfaitement pour expliquer les motivations primaires correspondant aux étages inférieurs de la pyramide de Maslow — parvient difficilement à justifier des comportements plus complexes. On peut se demander avec Reuchlin (1991, p. 400) « si la motivation ne peut se manifester aussi par une tendance à rompre un équilibre plutôt qu'à le rétablir, à accroître une tension plutôt qu'à la réduire ». Soulignons en effet, une nouvelle fois, l'importance pour l'individu de se poser des défis et, ainsi, de se motiver. De plus, nous pouvons relever également la fragilité de cette approche quant à la validation empirique de sa théorie sur la motivation (Roussel, 2000).

La deuxième critique touche plus directement à notre démarche de projet pédagogique. Le modèle psychanalytique nous a montré que la motivation de l'enfant trouve son origine dans l'inconscient du sujet : « On peut comprendre qu'apprendre à l'école puisse réactiver chez l'élève des situations très archaïques (...). Aussi faut-il accepter l'idée que le désir d'apprendre s'origine dans l'inconscient du sujet et que les situations d'apprentissage scolaire viendront réactiver des peurs ou des désirs anciens » (Develay, 1996, p. 95). Si, pour les psychanalystes, la dynamique motivationnelle est soumise aux processus inconscients du sujet, elle reste, pour les enseignants, difficilement exploitable pour motiver les élèves. Cette approche offre donc peu de place à la remédiation dans le cadre scolaire.

2

LA MOTIVATION DANS LA THÉORIE BÉHAVIORISTE

Avec les béhavioristes, la théorie de la motivation change radicalement de cadre conceptuel. Skinner (1979, p. 159 et suiv.) analyse la théorie freudienne de la vie interne des émotions et des motivations en fournissant une définition fondée sur les contingences responsables du comportement. C'est ainsi qu'il analyse la théorie psychanalytique (notamment le refoulement, la conversion et la sublimation) et réalise un véritable exercice de traduction, comme si le moment était venu de changer de langage. C'est dire que la problématique motivationnelle change ici complètement de cadre référentiel ; elle s'appuiera, avec Skinner et les béhavioristes, sur les seules motivations extrinsèques : « Ce ne sont pas des processus psychiques qui se déroulent dans les profondeurs de l'esprit conscient ou inconscient ; ce ne sont que des effets des contingences de renforcement, presque toujours liés à une punition » (Skinner, 1979, p. 161).

Houssaye (1993) résume ainsi la théorie du conditionnement : « Le comportement des individus est modelé par les récompenses (ou leur absence) et les punitions (ou leur absence) qui en découlent ; il peut ainsi être renforcé positivement ou négativement » (p. 224). Les béhavioristes distinguent, en effet, les renforcements positifs — par exemple, offrir une récompense lorsque les élèves ont montré le comportement attendu — des renforcements négatifs — éliminer une tâche ingrate et renforcer ainsi le comportement de l'élève. On pourrait dire — non sans malice — que les béhavioristes se sont emparés du bon sens populaire — qui veut que la « carotte » soit préférée au « bâton » — pour le théoriser.

Nous allons préciser maintenant pourquoi l'âne avance quand il voit une carotte, quels sont les types, grandeurs et formes de carottes qui le motivent le plus et pourquoi les vertus du bâton — souvent vantées — sont somme toute assez limitées.

2.1 – Récompenses et attrait

Osterrieth (1988, p. 87) décrit parfaitement ce qu'on entend par récompense dans la théorie béhavioriste : « La récompense consiste à accorder à l'individu un avantage ou une gratification d'ordre matériel ou moral, dans l'intention de renforcer et de fixer une conduite considérée comme souhaitable par l'éducateur. On compte que la conjonction de la récompense avec la conduite en question augmente la probabilité de réapparition de celle-ci, en augmentant sa désirabilité aux yeux du sujet ». De nombreuses expériences démontrent en effet que le rendement des sujets augmente en qualité et en quantité si une récompense leur est accordée.

L'attrait, quant à lui, résulte des qualités du matériel ou de la matière présentée qui les rendent ainsi attirants. Il se situe donc également à l'extérieur du sujet. On peut voir dans l'attrait une forme de renforcement qui rend l'activité agréable, mais qui fonctionne souvent de manière trop artificielle (Not, 1987). Les tâches attrayantes présentent quelques caractéristiques communes (Covington, 2000) : ce sont souvent des tâches nouvelles ou qui présentent des éléments de surprise, un défi ou une énigme à résoudre ; elles peuvent également être en lien avec l'univers des élèves (les enseignants qui utilisent dans leurs cours les jeux « à la mode », des dessins animés ou des héros proches du vécu des enfants le savent bien).

2.2 – Sanctions et punitions

À l'opposé, les sanctions et les punitions inspirent la crainte et l'évitement. Elles conditionnent donc le sujet à adopter un comportement qui lui permette de sauvegarder une situation satisfaisante et d'éviter un déplaisir. Par conséquent, les punitions installent dans la classe un climat d'insécurité qui entrave les apprentissages. « Même si on réussit à faire travailler les élèves par la contrainte dans un environnement menaçant, ils en viendront vraisemblablement à détester et l'enseignant et l'école » (Charles, 1997, p. 258).

De nombreuses études ont montré les limites de ce type de renforcement qui s'avère moins efficient que la récompense. Les sanctions et punitions — bien qu'inefficaces à long terme — sont néanmoins largement utilisées dans l'éducation parce qu'elles apportent un résultat immédiat et renforcent donc leur utilisateur — cette fois ! — dans l'illusion de leur efficacité.

De plus, Skinner souligne l'inadéquation de ce type de renforcement en regard du but même de la démarche : « Notre but est de créer le comportement ; il ne suffit pas pour cela d'empêcher l'élève de ne rien faire. (...) Nous ne rendons pas l'élève travailleur en punissant sa paresse ; nous ne lui donnons pas de l'intérêt pour son travail en punissant son indifférence » (1969, p. 178).

2.3 – Les types de renforçateurs

Il existe plusieurs types de carottes. Nous en distinguerons quatre :

1. Les *renforçateurs tangibles* (les biens matériels) *ou graphiques* : les friandises, l'argent, les jouets, les cadeaux, les gommettes, les autocollants, les tampons, les bonnes notes, etc.

2. Les *renforçateurs sociaux ou affectifs* : par exemple, les compliments, l'écoute attentive, les sourires, les commentaires positifs, les félicitations, les gestes d'encouragement, etc.

3. Les *activités renforçantes* ou *privilèges* (les activités agréables) : jouer, lire, chanter, travailler à l'ordinateur, disposer d'un temps libre, regarder un film, prolonger la récréation, etc.

4. Les *renforcements naturels* : il s'agit des renforcements que le milieu offre naturellement au sujet, sans intervention extérieure. C'est le cas, par exemple, lorsque la récompense réside dans l'acte lui-même, lorsque l'activité permet de satisfaire sa curiosité ou lorsqu'elle permet de relever un défi. [1]

Notons que cette typologie est purement arbitraire et que, dans la pratique, les différentes catégories de renforcements se chevauchent : lorsque j'offre un chocolat à un enfant, je favorise un comportement en lui donnant un renforçateur tangible ; néanmoins, le sourire qui accompagne mon geste est un renforçateur affectif et le fait d'apprécier les friandises constitue, en soi, une activité renforçante.

Nous pouvons souligner d'autre part, dans ce chapitre, le rôle capital que joue la réussite de l'élève dans la motivation : le succès agit en effet comme un puissant renforçateur. L'enseignant devra donc valoriser les efforts fournis et les réussites, même partielles, des élèves. Précisons que plus l'élève est jeune et plus il est important de le faire réussir tôt. Perrez, Minsel et Wimmer (1990) relèvent également qu'un « facteur important pour la motivation est la réussite immédiate. La joie d'avoir triomphé d'une tâche et de posséder une certaine compétence suscite une espèce d'autorenforcement » (p. 141).

L'enseignant devra profiter, lors des réussites de l'enfant, de l'encourager et souligner la qualité du travail accompli. La valorisation du travail accompli et les encouragements sont des stratégies très efficaces pour susciter la motivation, en particulier chez les élèves en difficulté. Précisons que les commentaires favorables, les félicitations, les remerciements, les évaluations soulignant les apprentissages réalisés, etc. sont plus favorables à la motivation des élèves que les récompenses symboliques données sous la forme de jetons, de gommettes ou de prix (Viau, 1997). Or donc, si les renforcements tangibles doivent être utilisés avec prudence, les encouragements et les félicitations semblent ne présenter aucun effet secondaire... : « Aucune étude n'a montré que ce type de récompense nuit à la motivation : l'encouragement et la reconnaissance du travail accompli demeurent des stratégies efficaces pour moti-

---

1. Les renforcements naturels tendent vers une forme de motivation intrinsèque. Cet exemple montre la difficulté de distinguer clairement, lorsqu'on approfondit les concepts, ce qui relève de la motivation intrinsèque ou extrinsèque.

ver les apprenants, tant qu'elles ne sont pas poussées à l'excès et ne virent pas à la complaisance » (Legrain, 2003, p. 100).

2.4 – De la bonne utilisation des renforçateurs...

Les chercheurs béhavioristes ont mis en évidence des règles à respecter dans l'utilisation des renforçateurs. Nous allons brièvement en énoncer quelques-unes qui nous paraissent particulièrement importantes :

– Utiliser tout d'abord des renforçateurs tangibles ;

– renforcer chaque étape, dans un processus à moyen et long terme (façonnement) ;

– encourager les comportements souhaitables en les renforçant immédiatement ;

– espacer ensuite les renforcements (principe de progression des renforcements fréquents aux renforcements intermittents et rares) ou renforcer au moment où les élèves ne s'y attendent pas ;

– la promesse de la récompense peut s'avérer aussi efficace que la récompense elle-même. Comme le relèvent Lieury et Fenuoillet (1996, p. 23), « au loto, au tiercé, à la roulette, certains continuent à jouer, parfois toute leur vie, sans jamais gagner ».

À propos du choix de la récompense, Mc Combs (2000) souligne que « les élèves sont la source de renseignements la plus fiable concernant le type de récompenses revêtant pour eux le plus de signification » (p. 107). Elle propose donc d'autoriser les élèves à choisir eux-mêmes leur récompense : ils augmentent ainsi le contrôle qu'ils ont sur leurs apprentissages et se sentent valorisés et respectés. Elle souligne également que, s'ils se trouvent dans un contexte de travail favorable, les enfants choisissent souvent une récompense qui leur permet d'approfondir leurs apprentissages.

Les chercheurs béhavioristes ont décrit également quelques pièges à éviter :

– Les objectifs trop éloignés ne sont pas assez gratifiants ;

– les punitions sont habituellement à déconseiller ;

– éviter de différer la récompense, sinon le renforçateur opérera sur le comportement précédant directement la récompense, même si celui-ci est sans rapport aucun avec le comportement récompensé !

– en cas d'échec du programme, analyser les renforcements « imprévus » ; un surcroît d'attention, par exemple lors d'une punition, peut renforcer un enfant dans son besoin d'attention et l'encourager à attirer le regard de l'adulte... en manifestant à nouveau un comportement inapproprié ;

– l'évitement et l'abstention peuvent aussi agir comme des renforcements ;

– la promesse de récompenses à long terme n'a guère d'influence ;

– il s'agit de dispenser la récompense seulement après le comportement attendu et ne jamais accorder la récompense en échange de la promesse de se bien comporter (« règle de grand-mère »[2]).

Dans le choix des renforcements, l'enseignant devra également être attentif à ne pas choisir comme récompense la suppression d'une activité scolaire, laissant ainsi croire à l'enfant que celle-ci est désagréable et qu'il aurait tout intérêt, dorénavant, à l'éviter : « On devrait s'interroger sur le genre de récompenses qui consiste à donner congé de devoirs et de leçons à un élève. Ce mode de récompense ne fait qu'ancrer chez l'élève l'idée selon laquelle l'étude et les devoirs sont des tâches désagréables, puisqu'on le récompense en l'en épargnant » (Viau, 1997, p. 124). De même, en ce qui concerne les punitions, « celle qui consiste à copier des dizaines de fois une formule mathématique ou à recopier des pages entières du dictionnaire doit être bannie, car elle incite les élèves à associer punition et activités d'apprentissage. C'est la raison pour laquelle certains élèves finissent par détester faire des exercices de mathématiques, écrire des textes ou encore chercher dans le dictionnaire, car ces tâches ne leur rappellent que de mauvais souvenirs » (*op. cit.*, p. 125).

L'utilisation des renforcements et des récompenses est donc assez délicate. Parfois, elle peut même détourner les enfants des apprentissages et affaiblir leur motivation intrinsèque : « Des recherches ont montré qu'en promettant des récompenses à des enfants menant librement des activités, qui pourtant les ont passionnés dans une phase préliminaire, on parvient vite à faire diminuer le nombre d'essais qu'ils effectuent ainsi que le temps qu'ils y consacrent » (Astolfi, 1997, p. 7).

Il semblerait néanmoins que les effets des récompenses et des punitions soient très dépendants de l'utilisation qu'en fait l'enseignant : celui-ci peut en effet les utiliser pour encourager l'autonomie des enfants ou, au contraire, pour asseoir son autorité et contraindre les élèves. Ainsi, l'enseignant peut encourager l'autonomie, favoriser la prise de responsabilité et le choix des élèves, susciter leur participation aux décisions, tout en fixant des règles claires à respecter et en sanctionnant l'enfant si les limites ne sont pas respectées. À l'opposé, il peut utiliser ces mêmes

2. Jones (cf. Charles, 1997) présente ainsi sa « règle de grand-mère » : les élèves doivent d'abord réaliser les tâches imposées par l'adulte, avant de se consacrer à une tâche plus agréable — qui sera leur récompense (« Quand tu auras fini tes légumes, tu auras du dessert ! »).

récompenses et punitions pour contrôler le comportement des enfants et les contraindre à se soumettre à l'adulte et à obéir (Pelletier et Vallerand, in Vallerand et Thill, 1993, p. 268). Une étude menée auprès d'élèves de première et deuxième année primaire a montré justement que des limites qui visaient à informer les élèves — et non à les contrôler — permettaient de préserver la motivation intrinsèque des élèves :

« Des élèves de première et de deuxième année qui participaient à une activité d'arts plastiques reçurent des informations sur la façon de réaliser leur activité de sorte que les locaux restent propres. Ces informations concernaient les limites à respecter dans le cadre de l'activité de peinture. Ces limites étaient de trois types, selon qu'elles étaient contrôlantes, informationnelles ou absentes (aucune limite). Les résultats ont révélé que les limites contrôlantes diminuaient la motivation intrinsèque des élèves vis-à-vis de l'activité de peinture alors que les limites informationnelles menaient à des niveaux de motivation intrinsèque aussi élevés que ceux engendrés par des conditions sans limites. Il semble donc qu'il soit possible d'instaurer des limites dans la classe sans pour autant miner la motivation intrinsèque des élèves » (Vallerand et Thill, 1993, p. 547).

2.5 – L'enseignement programmé

Une application concrète de la théorie béhavioriste s'est développée dans l'éducation sous la forme de l'enseignement programmé. Skinner (1969) le décrit comme « un système visant à un usage efficace des renforcements » (p. 187).

Le programme est en fait « haché menu » et l'élève progresse par paliers. Les échelons sont petits de manière à assurer un renforcement immédiat. À chaque pas, l'élève connaît l'objectif et sait où il en est. La motivation est entretenue par des « contingences de renforcement bien agencées qui tiendront l'élève au travail » (op. cit., p. 193).

L'enseignement programmé est organisé autour de la définition opérationnelle des objectifs. Certaines conditions sont à respecter pour améliorer les apprentissages des enfants :

- tout d'abord, il faut que les élèves pensent pouvoir atteindre les objectifs définis ; ils doivent donc estimer avoir les compétences nécessaires pour atteindre les buts fixés ;

- les objectifs doivent être transmis aux élèves, acceptés et partagés par tous les partenaires impliqués dans la démarche d'apprentissage : l'information donnée aux élèves leur permet de s'impliquer dans le projet de l'enseignant ;

- les objectifs ne doivent pas être trop nombreux : « On constate que plus il y a d'objectifs et plus la performance baisse » (Lieury et Fenouillet, 1996, p. 105) ;

– dans cette approche, le feed-back de l'enseignant est très important ; celui-ci doit informer les élèves des progrès accomplis par rapport aux objectifs, ce qui leur permettra d'évaluer leur progression et de mesurer le travail à accomplir encore pour atteindre les objectifs ;

– le feed-back est surtout efficace lorsque l'objectif est précis : la connaissance des résultats améliore nettement le score lorsqu'un but précis est fixé, alors qu'elle paraît sans effet lorsque le but est vague (Lieury et Fenouillet, 1996) ;

– la récompense est attribuée à l'enfant lorsqu'il a atteint l'objectif, ce qui renforce l'apprentissage et la motivation.

Roussel (2000) aborde cette question des objectifs dans un article consacré à la motivation au travail. Il précise que, pour susciter la motivation, les objectifs doivent être difficiles et bien définis. Les objectifs doivent être difficiles pour susciter la motivation, mais les individus doivent penser pouvoir les atteindre grâce à leurs capacités. D'autre part, des objectifs précis permettent de motiver davantage l'individu que ne le font des objectifs généraux. Il faudrait, par exemple, éviter dans la fixation des objectifs des formulations du type « faites pour le mieux ». Pour sa part, Legrain (2003) relève que « le pouvoir mobilisateur des objectifs est attesté aujourd'hui par plus de 400 expériences » (p. 65).

L'importance du feed-back a également été souligné par plusieurs auteurs. Vallerand et Thill (1993), notamment, précisent que « l'effet bénéfique des buts difficiles et spécifiques s'accroît encore lorsqu'ils s'accompagnent d'une connaissance des résultats. (...) On améliore davantage l'efficacité d'un programme de formation quand on fournit aux sujets un feed-back par rapport aux objectifs atteints. Comme on obtient dans ces conditions de meilleures performances que lorsqu'on donne uniquement aux sujets des buts ou uniquement du feed-back, il semble par conséquent que les déterminants des performances soient liés à l'enregistrement des écarts qui existent entre les buts et le feed-back » (p. 397).

Legrain (2003) présente une recherche intéressante de Schunk sur l'importance du type de feed-back donné aux élèves. Dans cette étude, les élèves doivent effectuer des opérations et sont répartis en plusieurs groupes. Le premier groupe ne reçoit aucun feed-back, alors que les autres sont encouragés soit sur les efforts accomplis, soit sur leurs aptitudes. « Les élèves qui ont reçu une information en retour sur leurs aptitudes ont vu leur sentiment de compétences s'améliorer encore plus que les élèves ayant reçu le retour sur leurs efforts » (p. 73). Les résultats montrent donc qu'une information en retour donnée aux élèves augmente toujours leur perception de compétence à accomplir cette tâche.

2.6 – Plusieurs bémols pour quelques « fausses notes »

L'utilisation — ou la question du maintien — des notes à l'école sus-citent depuis quelques années des débats animés dans le monde sco-laire et dans la société en général. Un argument souvent énoncé concerne justement la question de la motivation scolaire : il semblerait que la note, selon ses partisans, est un indispensable soutien à la motiva-tion des élèves. Certains enseignants émettent en effet l'hypothèse que les mauvaises notes vont encourager les enfants à mieux travailler. Éton-namment, ces mêmes enseignants — qui trouvent que les notes stimulent la motivation — sont irrités lorsque leurs élèves demandent avant chaque exercice s'il s'agit d'un test noté ! Pour analyser cette question, la clé de lecture béhavioriste permet d'apporter une réponse intéressante.

La note, en fait, est utilisée à l'école comme un renforçateur. L'attribution d'une bonne note est considérée par les élèves, mais égale-ment par les parents, comme une récompense et la « mauvaise » note comme une punition. Les avantages et les inconvénients de son usage sont donc les mêmes que ceux des autres contingences de renforce-ment.

L'utilisation de la note présente la principale difficulté de détourner l'élève des apprentissages. En effet, l'enjeu devient pour celui-ci de « produire » des bonnes notes et non de s'engager cognitivement dans des tâches d'apprentissage signifiantes. Il s'agit en fait d'un détourne-ment de sens qui est très préjudiciable. Ainsi, sa motivation intrinsèque à apprendre diminue : l'élève ne travaille plus pour le plaisir d'apprendre, mais pour la récompense qu'est la note. Comme le relève Desoli (1997), « travailler pour la note s'institue comme une activité dominante avec pour corollaire l'instrumentation des rapports de l'école aux savoirs. Une autre conséquence est la dévalorisation des motivations intrinsèques dont la psychologie montre qu'elles sont les seules à asseoir des appren-tissages durables » (p. 100).

Certaines études, présentées par l'OCDE (2000), montrent que la notation du travail scolaire « a un effet néfaste sur la pensée créatrice, sur les taux de rétention et sur l'intérêt général éprouvé à l'égard de l'acqui-sition des connaissances. Dans une étude israélienne, on donne à des enfants de 11 ans un compte rendu écrit de l'épreuve qu'ils ont passée, une note ou les deux (un compte rendu écrit et une note). Les résultats du groupe n'ayant reçu que des commentaires se sont améliorés d'un tiers, tandis que ceux des autres groupes diminuaient » (p. 35). L'ensei-gnant devrait par conséquent commenter les travaux des élèves et don-ner un feed-back réellement formatif sur leurs résultats. S'il se contente de noter les travaux, les élèves ne sauront ni quels objectifs sont atteints ni comment surmonter leurs difficultés, la note ayant un potentiel informatif quasi nul.

D'autres recherches américaines (cf. Chappaz, 1996) ont également montré que le fait de donner une récompense externe conduit à une diminution des performances d'apprentissage des élèves : l'attention de l'élève est détournée vers l'obtention de la récompense — ici la note — et, par conséquent, l'élève devient moins performant dans ses apprentissages. Comme le relève également Fenouillet (2003), « la *régulation externe* est la motivation extrinsèque la moins autodéterminée. Dans ce cas, l'individu agit uniquement pour obtenir une récompense ou pour éviter quelque chose de désagréable telle qu'une punition. L'élève qui travaille son cours uniquement pour éviter d'avoir une mauvaise note reflète exactement ce type de motivation » (p. 79).

La note présente encore deux désavantages importants. D'abord, pour l'élève en difficulté, elle vient confirmer ses problèmes et blesser une estime de soi déjà bien fragile. En effet, si la notation stimule certains élèves, elle en démotive beaucoup d'autres (Viau, 1997). D'autre part, l'élève constate que les résultats obtenus par la note ne sont pas directement dépendants des efforts fournis. Par conséquent, l'enfant perd progressivement le sentiment de contrôler la situation et risque de s'installer, comme nous l'avons (voir composante 7), dans une attitude de résignation. Les notes motivent donc en priorité les élèves qui en ont le moins besoin, c'est-à-dire ceux qui réussissent déjà, tandis que les élèves plus faibles — qui précisément doivent être motivés — se laissent complètement décourager par les notes et les perçoivent comme une menace (Covington, 2000).

Ces procédures d'évaluation sommative seront donc avantageusement remplacées par des démarches d'évaluation formative et formatrice. Les notes ne sont en effet d'aucune utilité pour savoir comment les élèves progressent, comment ils peuvent s'améliorer et quel chemin il leur reste encore à parcourir (Covington, 2000). Par contre, les évaluations formatives et formatrices aident l'enfant à s'auto-évaluer et le rendent ainsi acteur de ses apprentissages. Le statut de l'erreur change également : alors que l'élève qui obtient une mauvaise note est mis en échec dans une approche sommative, son droit à l'erreur est reconnu dans une démarche formative.

Si la note est condamnée par la recherche pédagogique et son diagnostic, posé par les spécialistes, sans appel, nous aimerions néanmoins nous pencher au chevet de ce malade (qui s'ignore) : la note peut, dans certains cas, favoriser l'engagement de l'élève dans la tâche, mais son usage doit respecter strictement les règles d'utilisation des renforçateurs présentées dans ce chapitre. La réussite scolaire, soulignée par les notes, peut alors légitimement induire des sentiments de fierté et de satisfaction chez l'élève. La note peut, dans ce cas, être considérée comme la juste récompense d'un effort important. Elle peut donc engager l'élève dans un processus motivationnel qui l'encouragera à poursuivre ses efforts. Lecomte (2005) souligne également que les récompenses, et en particulier les notes, « favorisent l'intérêt de l'élève quand elles visent à souligner ses bons résultats » (p. 10). La note doit donc être toujours utilisée comme une récompense et non comme une sanction.

En conclusion, nous pouvons donc dire que les conditions d'utilisation de la note comme facteur motivationnel sont très difficiles à mettre en place. Nous aimerions relever une nouvelle fois que l'utilisation de la note faite par l'enseignant est, par conséquent, plus importante que le débat — inutile parce que trop polémique — sur son maintien ou sa suppression.

2.7 – Comment motiver dans la théorie béhavioriste

Nous désirons donner, à la fin des chapitres consacrés aux différentes théories, des pistes de travail qui permettent, très concrètement, de motiver les élèves. Il ne s'agit pourtant jamais de « recettes pour micro-ondes » — prêtes à l'emploi et qu'il suffit juste de réchauffer — mais de propositions qui, pour devenir efficientes, doivent s'inspirer des théories dont elles procèdent. Il serait donc bon d'apprêter ces propositions en lisant attentivement la composition des plats et les consignes de cuisson (cf. les pages qui précèdent) ! Comme le relève également Viau (1997), « on peut difficilement utiliser des stratégies d'intervention sans en connaître les fondements théoriques. Cette affirmation est fondée sur des recherches qui ont montré qu'un expert, confronté à un problème nouveau, se sert des modèles théoriques qu'il connaît pour modifier ou adapter ses stratégies d'intervention visant à le résoudre » (p. 26). Nous tâcherons d'éviter ainsi la tentation — toujours présente — de donner des solutions simples à des questions complexes [3] (« syndrome de Monsieur Jardinier ») [4].

Pour les béhavioristes, la motivation participe, comme nous l'avons vu, de contingences de renforcements. Au niveau pédagogique, une application de cette théorie s'est développée sous la forme de l'enseignement programmé. Les propositions suivantes se référeront donc à ces principes de base.

---

3. Nous appelons « syndrome de Monsieur Jardinier » la tentation de donner une réponse simple à une question abordant une problématique réelle, sans connaître parfaitement les personnes concernées, la situation ou le contexte d'intervention. Lors de nos cours, les étudiants sont souvent demandeurs de solutions lorsqu'ils nous expliquent, en quelques mots, la difficulté d'un élève ou un problème d'enseignement. Nous tâchons toujours de résister à la tentation de donner des solutions à une problématique qui est succinctement présentée et dont nous ne connaissons pas tous les tenants et aboutissants.

4. Pour les lecteurs non suisses : « Monsieur Jardinier » est le titre d'une émission de radio où les auditeurs — jardiniers amateurs — peuvent poser des questions à des professionnels qui apportent en direct la solution à leur problème. Nous émettons ici l'hypothèse qu'il est plus facile de donner la date idéale pour la taille des rosiers que de trouver une solution simple pour motiver Timothée…

Les objectifs :

- Développer une pédagogie par objectifs.
- Découper la matière en étapes progressives et fixer des objectifs proximaux.
- Donner des exercices se rapportant directement aux objectifs.
- Choisir seulement des questions de tests correspondant directement aux objectifs fixés.
- Définir clairement l'objectif, en termes opérationnels.
- Proposer des objectifs perçus comme difficiles mais réalisables.
- Évaluer les progrès en fonction de l'objectif défini.
- Fixer des délais raisonnables (éviter les objectifs trop lointains) : « Le cheval court plus vite lorsqu'il sent l'écurie... ».
- Proposer des objectifs « malins » : **m**esurables, **a**tteignables, **l**imités dans le temps, **i**ndividualisés, **n**égociés avec l'élève et **s**pécifiques (Legrain, 2003, p. 125)

Les renforcements :

- Prévoir un renforcement pour chaque étape réalisée.
- Fournir rapidement à l'élève l'occasion de réussir et le renforcer positivement.
- Ne pas hésiter à utiliser des renforcements tangibles (bons points, gommettes, etc.).
- Renforcer de manière occasionnelle et non systématique (de manière fortuite).
- Annoncer la récompense avant l'activité.
- Autoriser les élèves à choisir eux-mêmes leur récompense.
- Offrir un enseignement dont la progression permette la plupart du temps de réussir (le succès engendre le succès).
- Éviter les sanctions, les mauvaises notes, les punitions, etc.

Le feed-back :

- Donner régulièrement des informations sur la qualité du rendement.
- Fournir des rétroactions immédiates et aussi précises que possible (ne pas oublier les rétroactions positives !).
- Pointer sur les copies les réussites et n'indiquer qu'une ou deux erreurs seulement.
- Utiliser des didacticiels : l'ordinateur donne « spontanément » des rétroactions immédiates.

2.8 – Le modèle béhavioriste : réflexions critiques

Alors qu'il permet d'expliquer des comportements simples comme des automatismes ou des habitudes, le modèle béhavioriste néglige, dans les comportements complexes, l'aspect fondamental de la conscience de l'individu et de son rôle déterminant dans le traitement de l'information. L'approche cognitive propose par conséquent de réintroduire la « boîte noire » dans le modèle béhavioriste et d'adopter la formule S-O-R (stimulus- organisme-réponse).

Pour Not également, les récompenses et les sanctions restent trop extérieures à la dynamique même de l'apprentissage pour favoriser la construction de réelles connaissances : « Elles sont sans lien direct avec le désir ou le besoin de connaissance. C'est la récompense (et non la connaissance) qui procure le plaisir, et c'est la punition (et non plus l'ignorance) qui provoque la gêne » (1987, p. 87). L'utilisation d'un système de récompense peut donc détourner l'attention de l'élève vers des gratifications totalement extérieures aux enjeux réels des apprentissages scolaires.

La recherche (cf. notamment Lieury et Fenouillet, 1996) a effectivement montré que les élèves extrinsèquement motivés ont tendance à faire le minimum d'efforts et veulent uniquement obtenir une récompense (OCDE, 2000). Lorsque l'enseignant ne distribue plus de récompenses, les enfants ne s'engagent plus dans les apprentissages. Il semblerait donc que les renforcements jouent un rôle plus important sur les performances que sur les apprentissages eux-mêmes (Lieury et Fenouillet, 1996). Les individus qui s'attendent à être récompensés pour avoir mené à bien une tâche n'obtiennent donc pas d'aussi bons résultats que ceux qui n'attendent pas une récompense. À ce propos, Fenouillet (1996, p. 94) décrit une expérience menée par Deci en 1971 déjà :

« Deci propose à deux groupes de sujets de résoudre des problèmes de puzzles qui ont été jugés auparavant comme très intéressants (...). Les problèmes sont proposés aux sujets au cours de trois séances. La première est identique pour les deux groupes : les sujets doivent résoudre un certain nombre de problèmes en un temps limité. Par contre, lors de la deuxième séance, l'expérimentateur donne 1 dollar par puzzle réussi au premier groupe alors que le deuxième groupe ne perçoit aucune rémunération monétaire. Enfin, lors de la troisième séance, l'expérimentateur invoque une excuse qui lui permet de s'absenter et il propose aux sujets, avant de partir, d'effectuer soit quelques puzzles supplémentaires, soit de lire des journaux, soit de ne rien faire.

Les résultats montrent que les sujets ont tendance à passer plus de temps sur les puzzles lorsqu'ils n'ont pas été rémunérés ».

La conclusion de cette expérience est claire : s'il attribue une récompense à l'élève intrinsèquement motivé, l'enseignant risque de tuer sa motivation. Il faut donc absolument éviter de donner une récompense à un élève motivé qui travaille librement et qui a du plaisir à apprendre (motivation intrinsèque). De nombreuses recherches ont confirmé ces conclusions : « Récompenser les gens de façon concrète pour des choses qu'ils feraient par ailleurs librement ou juste pour le plaisir, transforme ce qui n'était qu'un jeu en travail, voire même en corvée » (Covington, 2000, p. 61).

Un dernier aspect, qui constitue selon nous une critique fondamentale, relève du domaine de l'éthique. Peut-on en effet accepter qu'on manipule l'homme — même « pour son bien » — en guidant son comportement par une programmation rigoureuse de récompenses et de sanctions ? Comme le souligne Nuttin (1985, p. 251), « on peut être d'avis que c'est avilir l'homme que de vouloir l'améliorer, ou même le sauver, *sans lui* ». Le vocabulaire utilisé par Skinner lui-même laisse songeur. Il parle, par exemple, de « <u>produire</u>[5] des élèves qui lisent de bons livres » (1969, p. 194) ou, plus loin, de « <u>rendre</u> les élèves travailleurs » (p. 199) et encore de « <u>tenir</u> les élèves au travail » (p. 193). L'élève semble réduit, dans cette approche radicale, à un objet d'investigation et d'expérimentation qui reste totalement sous le pouvoir de l'enseignant.

Il ne s'agit pas, néanmoins, de rejeter en bloc une théorie dont l'intérêt est évident, mais de rester vigilant quant à toutes les formes de dérives possibles. Nous pensons que les propositions faites dans ce chapitre sont très intéressantes pour remotiver un enfant — qui a une motivation intrinsèque basse — dans un premier temps et ponctuellement. Elles devraient néanmoins céder rapidement la place à des propositions qui permettent à l'enfant de développer, en priorité, sa motivation intrinsèque.

Une recherche présentée par Fenouillet (in Chappaz, 1996) confirme cette position : « Des chercheurs anglais et québécois ont cherché à discriminer les individus à motivation intrinsèque haute de ceux qui avaient une motivation intrinsèque basse. Dans un deuxième temps, ils ont demandé à tous les individus, donc préalablement discriminés, de rappeler un texte. Aux individus qui avaient une motivation intrinsèque basse, ils ont proposé à la fois des textes sans récompense et des textes avec récompense. Et de même avec les individus qui avaient une motivation intrinsèque haute. Ils ont pu alors constater que, quand on a une motivation intrinsèque basse, il faut une récompense et, quand on a une motivation intrinsèque haute, il ne faut surtout pas de récompense » (p. 122).

---

5. C'est nous qui soulignons.

3

LA MOTIVATION DANS L'APPROCHE HUMANISTE

On regroupera sous ce chapitre tout ce qui se joue dans les rapports entre les affects et la motivation. Nous considérons donc ici l'approche humaniste de manière large.

Nous nous intéresserons tout d'abord à l'apport déterminant de C.Rogers. Puis nous envisagerons les conditions nécessaires à une possible motivation. Ensuite, notre réflexion s'orientera vers trois axes importants du rapport qui s'établit entre l'enseignant, l'apprenant et le savoir : l'axe enseignant-apprenant, l'axe apprenant-savoir et l'axe apprenant-apprenant. Nous soulignerons enfin les limites de l'approche humaniste dans le cadre scolaire.

3.1 – C.R. Rogers et la motivation intrinsèque

Pour Rogers, une relation vraie entre les partenaires de l'éducation — soit l'enseignant et l'élève — est d'une importance capitale. L'enseignant a notamment un rôle fondamental dans le développement de la motivation de ses élèves. Rogers distingue chez lui trois qualités nécessaires : la **congruence**, d'abord, qui consiste à développer une relation authentique où l'enseignant s'autorise à être lui-même, « sans masque ni façade » (1984, p.104) ; l'**acceptation inconditionnelle**, ensuite, qui permet à l'étudiant de se sentir reconnu comme un être digne de respect et de confiance ; l'**empathie**, enfin, qui est la capacité de se mettre à la place de l'autre, de le comprendre et de lui communiquer cette compréhension.

On voit bien ici que l'approche « rogérienne » fait intervenir des mobiles émanant de l'être tout entier. C'est la relation humaine authentique qui est la source de la motivation. Comme le souligne J. André analysant la théorie rogérienne (1992, p.16), « une motivation solide, durable, transférable ne peut se développer que dans un contexte relationnel positif ».

Alors que chez les béhavioristes la motivation se définissait d'abord par des facteurs extérieurs au sujet, elle s'exprime, chez Rogers, par une dynamique interne et « un enseignement autodéterminé qui engage la personne tout entière — avec ses sentiments autant qu'avec son intelligence » (1984, p.161). La motivation est donc ici avant tout intrinsèque et se situe d'abord dans le désir de l'étudiant : l'approche part de l'hypothèse que l'étudiant, s'il se trouve dans un environnement favorable, a en lui la possibilité et le désir d'apprendre. Les nombreuses recherches (cf. notamment OCDE, 2000) sur la question montrent effectivement que les élèves intrinsèquement motivés utilisent des stratégies qui exigent plus d'efforts et qui leur permettent de traiter l'information de manière plus approfondie.

Le rôle déterminant de la relation entre l'enseignant et l'étudiant est souligné également par le vocabulaire utilisé par Rogers qui parle de « facilitateur » pour désigner l'enseignant : « Le facilitateur fait fond sur le désir de chaque étudiant de réaliser les projets qui ont une signification pour lui, il y voit la force motivante qui soutient un apprentissage signifiant » (p. 163).

C'est enfin dans cette « liberté pour apprendre » que Rogers voit la source première de la motivation : « Il paraît évident que lorsque les étudiants perçoivent qu'ils sont libres de poursuivre leurs propres objectifs, la plupart d'entre eux s'engagent personnellement davantage, travaillent avec plus d'acharnement, retiennent et utilisent plus de choses que dans les cours traditionnels » (1984, p. 93). Le rôle de l'enseignant est donc de permettre aux élèves de choisir leurs propres objectifs d'apprentissage, ce qui leur permettra de répondre à des questions qu'ils se posent et non de trouver des solutions à des problèmes qu'ils n'ont pas. « Mieux les élèves assument la responsabilité de définir eux-mêmes leurs objectifs éducatifs et plus ils s'impliquent activement dans les activités d'apprentissage personnalisés, plus leur motivation interne domine et plus ils sont incités à devenir experts dans le domaine d'étude qu'ils ont choisi » (Mc Combs, 2000, p. 98). Comme le relèvent également Nachon et Wallian (2005), « les élèves sont toujours motivés pour trouver des réponses aux problèmes qu'ils se posent. Ils ne sont pas toujours motivés à solutionner des problèmes qu'on leur pose » (p. 22).

Cette « théorie de l'engagement » a été confirmée par de nombreuses expériences de psychologie sociale. Pour l'enseignant, les implications sont claires : si l'élève s'engage librement dans une activité, et qu'il y réussit, « l'opinion qu'il a de ses capacités et de cette activité évoluera dans un sens favorable : il y aura également plus de chances pour qu'il s'engage à nouveau dans une activité de ce type » (Legrain, 2003, p. 85). Une expérience menée en 1996 est, à ce propos, tout à fait édifiante : « Un groupe d'étudiants ayant librement accepté de coller des confettis sur toutes les lettres *a* d'un texte, après l'avoir effectuée, trouvent cette tâche intéressante au point de lui attribuer une note d'intérêt de 9 sur 11. Un groupe d'étudiants à qui la même tâche a été imposée ne lui attribue que la note de 2 sur 11 » (*op. cit.*, p. 89). On peut donc imaginer que des élèves exerçant l'accord des participes passés des verbes pronominaux — activité finalement pas plus stupide que celle de coller des confettis — trouvent cette activité tout à fait passionnante... s'ils l'ont choisie librement !

L'enseignant veillera par conséquent à trouver un juste équilibre entre les exigences institutionnelles — fixées dans les plans d'étude — et les intérêts personnels de chacun des enfants. L'enseignant est en effet dans « la meilleure position qui soit pour voir comment les objectifs d'apprentissage généraux appropriés au niveau de la classe ou à la matière pourraient être reliés aux objectifs et intérêts des élèves » (*op. cit.*, p. 71).

Dans une approche traditionnelle, l'enseignant garde souvent toute l'initiative. En effet, les élèves ont rarement l'occasion de développer en classe leur sens des responsabilités : « Les élèves y sont placés en sujétion, confrontés à un système d'obligations auxquelles il ne leur est guère loisible de déroger. (...) Dans une praxéologie centrée sur l'application d'une espèce de tautologie glacée, « Tu dois faire ce que tu dois faire », on a du mal à discerner l'endroit où pourraient s'enraciner les motivations » (Mannoni, in Pourtois *et al.*, 2002, pp. 34-38).

Si, par contre, l'enseignant propose aux élèves d'assumer leur part de responsabilité, il évite d'assumer seul le souci de l'apprentissage. Comme le souligne également Mc Combs (2000, p. 26), « les travaux de James Connell, Richard Ryan et quelques autres, ont démontré combien il est important d'encourager les besoins d'autonomie et d'autodétermination des élèves. En d'autres termes, leurs recherches montrent que la motivation d'apprendre des élèves est plus forte quand les enseignants leur donnent l'occasion de prendre des décisions et d'exercer un contrôle sur leur processus d'apprentissage ».

L'enseignant peut choisir le degré d'autonomie qu'il souhaite accorder aux élèves. Dans certaines branches — notamment les branches artistiques — il pourra encourager la créativité des enfants et leur laisser la totale responsabilité des choix qu'ils effectuent. Dans les autres branches, il pourra certaines fois proposer plusieurs options et garder ainsi une certaine maîtrise des contenus abordés. D'autres fois encore, l'enseignant pourra fixer les objectifs de contenu, mais laisser une grande autonomie aux élèves dans le choix des procédures utilisées ou des modalités d'organisation de l'apprentissage. « Ce modèle a l'avantage de permettre à l'enseignant d'adapter le degré d'autonomie qu'il accordera à sa classe. Ainsi, selon l'âge, la maturité, le niveau de socialisation et l'habitude des élèves à se prendre en charge, l'enseignant leur offrira des options ou des choix, portant sur les procédures ou le contenu et faisant appel ou non à la coopération » (Archambault et Chouinard, 1996, p. 128).

L'enseignant pourra utiliser des questionnaires ou mener des entretiens individuels qui lui permettront de mieux connaître les besoins et les intérêts des élèves et les objectifs que chacun souhaite se fixer.

3.2 – Conditions nécessaires à une possible motivation

Pour Raths, cité par Houssaye (1993, p. 227), il existe huit besoins fondamentaux qui déterminent la croissance de l'individu et permettent, s'ils sont satisfaits, sa motivation dans des tâches scolaires. On retrouvera facilement dans la liste de ces facteurs les préoccupations principales de Rogers et celles de Maslow (présentées au début du chapitre 3) :

- la **sécurité économique** : l'habitation, l'alimentation, le sommeil, etc. ;
- la **sécurité psychologique** : elle exige qu'aucune menace ne pèse sur ce que l'on est ;
- le **besoin d'être libéré de toute culpabilité** : il naît de la confiance que nous désirons nous voir accorder par l'extérieur ;
- le **besoin d'appartenir à une collectivité** et de s'y sentir bien ;
- le **besoin d'amour et d'affection ;**
- le **besoin de réussite** qui nous confirme dans notre croissance ;
- le **besoin de partager et de se sentir respecté ;**
- le **besoin de comprendre et de se comprendre** : il renvoie à la question du sens de ce que l'on est et de ce que l'on fait.

Si ces différents besoins ne sont pas respectés, l'enfant risque de mobiliser son énergie pour résoudre des « conflits affectifs », alors que l'école exige de lui une focalisation sur les « conflits cognitifs ». Aubert souligne également (1994) « qu'il y a la sérénité qui permet de s'ouvrir aux autres et au monde seulement si l'énergie psychique n'est pas mobilisée à régler des conflits internes ou externes » (p. 94). Apprendre, c'est prendre des risques, se tromper souvent, corriger ses erreurs, gérer ses doutes, surmonter un conflit cognitif, tolérer l'incertitude. Pour apprendre, il faut donc que l'élève se sente en sécurité. Il s'agit donc, comme le propose Caron (1994, p. 219), de « construire une motivation existentielle, préalable à la motivation scolaire ».

3.3 – L'axe enseignant-apprenant et la motivation

Rogers n'est pas le seul auteur à souligner l'importance déterminante de la relation enseignant-apprenant pour susciter la motivation. Aubert (1994) plaide également pour une restauration des processus conatifs : « Il semble bien que lorsqu'on s'intéresse à l'enfant et à son activité, celle-ci prend alors un sens important à ses yeux et il y investit toute son énergie psychique » (p. 99).

Aubert nous rappelle également que l'enseignant est pour l'enfant un « référent affectif extrêmement important. Il est, après le père ou la mère, le référent affectif adulte qui importe le plus pour lui » (p. 102). L'adulte qui noue avec l'enfant une relation authentique suscite donc nécessairement son engagement. L'enfant, surtout s'il est jeune, trouve par le biais relationnel un facteur motivationnel positif. Car apprendre, à cet âge, c'est souvent faire plaisir à quelqu'un.

L'enfant attend également de lire la satisfaction dans le regard de l'adulte ; le désir de savoir de l'enfant « est à la fois un désir de maîtrise et un désir du désir de l'autre : en clair, l'enfant aimerait que d'autres s'enthousiasment pour ce qu'il sait faire, l'admirent ou l'envient. Mais il aimerait avant tout que ceux qu'il estime le plus soient fiers de lui, prennent plaisir à le voir réussir dans une entreprise qui est aussi un peu la leur » (Caudron, 2004, p. 44).

L'attitude de l'enseignant se révèle donc fondamentale pour susciter la motivation scolaire — mais également existentielle — de l'enfant. Lacroix (in Pourtois, 2002) pense que l'enseignant doit s'inscrire lui-même « en tant que personne active, épanouie dans son être autant que dans sa fonction et dans le monde. Ce faisant, il transmet bien plus qu'un savoir sur une matière spécialisée ; il transmet de la confiance, de l'espoir dans l'avenir, du bonheur à être adulte » (p. 139).

Le regard que porte l'enseignant sur l'enfant joue par conséquent un rôle décisif sur sa motivation. L'acceptation inconditionnelle de l'enfant permet à ce dernier de se sentir reconnu comme un être important. Rappelons, de plus, comment ce regard peut conditionner tout le développement de l'enfant. L'effet Pygmalion et le phénomène d'auto-réalisation des prophéties ont été suffisamment démontrés pour qu'on ne s'attarde pas dans ce chapitre sur leur importance déterminante. Pour susciter la motivation, il s'agit d'abord d'accepter l'autre, de le reconnaître tel qu'il est et d'être convaincu de sa capacité à évoluer ; c'est donc, fondamentalement, lui faire confiance (Brouet, 1992). Les dangers de l'étiquetage sont également à souligner ici : « Si tout être est engagé dans un mouvement de maturation, il a naturellement le pouvoir de faire voler en éclat toute étiquette figée qu'on voudrait lui coller sur la peau » (Leperlier, 2001, p. 25).

Par conséquent, le postulat d'éducabilité est au centre des démarches d'aide, notamment auprès des élèves qui souffrent d'une motivation faible et d'une estime de soi chancelante : pour ces élèves en particulier, le regard positif de l'adulte et le contexte relationnel sont déterminants. L'enseignant doit donc être convaincu des possibilités de progrès de l'élève et de ses capacités à évoluer. Aider le jeune à acquérir cette confiance en lui est, par conséquent, indispensable à l'éveil du désir d'apprendre. Plusieurs études démontrent en effet que les enseignants efficaces communiquent à leurs élèves leur conviction que tous peuvent apprendre et faire des progrès. Cette attitude renforce de façon significative la motivation des élèves (Archambault et Chouinard, 1996).

La qualité de la relation enseignant-apprenant permet également de s'intéresser réellement aux besoins et aux intérêts des élèves. Comme nous l'avons souligné plus haut, seul l'élève sait quels sont ses besoins réels. L'enseignant, de son côté, connaît les exigences du programme et les objectifs à atteindre. Une bonne relation permettra donc d'aider les élèves à développer des projets qui tiennent compte d'intérêts spécifiques tout en répondant à des objectifs pédagogiques communs. Ensemble, l'enseignant et l'élève pourront ainsi trouver un terrain commun respectant les objectifs d'apprentissage de celui-là avec les intérêts déclarés de celui-ci.

Curonici et Mc Culloch (1997), quant à elles, soulignent les dangers de voir s'installer une *lutte symétrique* entre l'enseignant — qui s'acharne à faire réussir l'enfant — et l'élève — qui souhaite que l'enseignant échoue dans sa tâche. L'enseignant se trouve alors dans une situation « d'acharnement pédagogique » et dans le *paradoxe de l'aide*. Pour les auteures, il s'agit d'introduire, dans ces situations, un changement dans la relation entre l'enseignant et l'élève en rétablissant l'équilibre dans le partage des responsabilités et en supprimant l'aide : « L'enseignant garde entièrement ses responsabilités, mais rend à l'enfant la part qui lui revient. L'élève, qu'il soit enfant, adolescent ou adulte, est le premier responsable de sa scolarité. D'autre part, cette intervention offre à l'élève une reconnaissance de ses compétences » (p. 141). Renoncer à l'acharnement pédagogique, c'est faire confiance à l'enfant, lui permettre de montrer de quoi il est capable et l'aider à *s'autonomiser* par rapport à l'adulte. La motivation naît ainsi, paradoxalement, du deuil de l'enseignant de vouloir motiver — à tout prix — l'élève.

Nous pouvons enfin distinguer, avec Deci *et al.* (1981), les enseignants qui favorisent l'autonomie des enfants (les enseignants « informants ») et les enseignants qui sont contrôlants (Vallerand et Thill, 1993, pp. 546-547). Les enseignants informants donnent beaucoup de choix aux élèves. Ils les informent régulièrement des objectifs poursuivis, du sens des apprentissages, du niveau de compétence actuel de l'élève, etc. Par contre, les enseignants contrôlants laissent très peu de choix aux élèves et les échanges avec l'enseignant — sur les objectifs poursuivis ou les méthodes utilisées — sont très limités. Ces enseignants usent fréquemment de récompenses et de punitions pour « contrôler » le comportement de leurs élèves. Les recherches menées sur le sujet ont montré que les élèves se sentaient moins motivés intrinsèquement et moins autodéterminés lorsque les enseignants sont contrôlants. À l'inverse, les enseignants favorisant l'autonomie des enfants permettent à ceux-ci de se sentir compétents et autodéterminés. Leur motivation intrinsèque est élevée (Lieury et Fenouillet, 1996).

3.4 – L'axe apprenant-savoir et la motivation

Nous ne reviendrons pas ici sur l'importance que peut jouer l'attrait dans la motivation (cf. 2.1.). Nous souhaiterions par contre rappeler que pour motiver les élèves, il faut être soi-même motivé par ce que l'on enseigne. Pantanella (1992, p. 10) parle à ce sujet de « jeu en miroir motivant/motivé » : si les élèves sentent l'enseignant passionné par ce qu'il transmet, il est probable qu'ils seront motivés à leur tour. Pantanella exprime joliment la chose en disant que « dans les mots de l'enseignant vibreront alors les échos de l'originelle passion qu'étudiant il a éprouvée pour sa discipline » (*op. cit.*).

Si l'enseignant motive les élèves en étant lui-même motivé par le savoir à transmettre, la motivation des élèves pourra, en retour, également motiver l'enseignant à transmettre ce même savoir. « Si l'enseignant parvient à motiver les élèves, à leur donner le désir d'apprendre, leurs changements de comportement, leurs progrès motiveront l'enseignant à son tour » (Auger et Bouchelart, 1995, pp. 63-109). Autrement dit, la motivation est contagieuse et l'endémie scolaire à encourager ! À l'inverse, le manque de motivation de l'enseignant peut complètement tuer la motivation des élèves. Ici, le meurtre est collectif et le coupable tout désigné : « Comment peut-on accuser les élèves de ne pas être motivés à apprendre, lorsqu'ils se trouvent devant un enseignant qui bâille, ne rit jamais, regarde constamment sa montre, ne veut pas être dérangé, leur donne des exercices pour ne pas avoir à leur parler, etc. » (Viau, 1997, p. 120).

L'enseignant pourra également consacrer du temps pour montrer à ses élèves que le savoir n'est pas figé dans les encyclopédies et les dictionnaires, mais fait partie de l'extraordinaire aventure humaine. La connaissance de l'origine des savoirs participe du sens de ceux-ci et a une portée motivationnelle trop peu exploitée. Le sens des apprentissages est évidemment donné par le futur — leur utilisation à venir —, mais également par le passé — qui explique le contexte de l'apparition des savoirs et leur développement : « Les savoirs « passent » mieux quand on permet aux élèves de s'identifier aux personnages qui les ont faits, aux circonstances dans lesquelles ils ont été produits ou aux questions que des savants se posaient » (Giordan, 1998, p. 105).

Par exemple, dans notre pratique d'enseignant spécialisé, nous travaillons souvent l'histoire des nombres avec les élèves en difficulté dans le domaine mathématique et nous abordons, notamment, l'origine de l'utilisation du 0 dans la numération. Cette approche des mathématiques passionne toujours les élèves et leur permet de comprendre comment fonctionne actuellement notre système de numération. Les enfants prennent ainsi conscience que nos nombres sont le résultat d'une très longue histoire et que les inventions successives (base 10, valeur positionnelle, utilisation du 0, etc.) sont des réponses géniales à des questions essentielles.

De même, Vellas (1999) propose de travailler sur « des significations donnant à la culture scolaire une valeur établie à l'aune des créations et réflexions réalisées en classe, confrontées dialectiquement à celles ayant surgi au cours de l'histoire et dans la vie d'aujourd'hui » (p. 15). Il s'agirait, ainsi, de « rencontrer des expériences de la même intensité que celles vécues par les hommes qui ont créé, inventé, découvert les objets culturels qui sont à la base des objets du programme scolaire » (*op. cit.*).

L'enseignant pourra, par exemple, commencer son cours par une anecdote, une histoire insolite, un récit autobiographique, une intrigue ou un mystère qui concernent les grandes découvertes ou les personnages qui les ont vécues. L'enseignant suscite ainsi l'intérêt et la curiosité des élèves dès le début du thème qu'il souhaite aborder. Develay (1996, p. 89) donne également quelques exemples intéressants : « Les savoirs enseignés sont rarement reliés aux conditions de leur genèse. Les élèves ne savent pas que la géométrie puise son origine dans la civilisation égyptienne où les crues du Nil obligèrent périodiquement à retracer les parcelles de terre fertile au bord du fleuve pour les redistribuer à leurs exploitants, ce qui conduisit notamment à la création des fractions ».

L'enseignant devra donc transmettre sa passion du savoir aux enfants, mais également — et ceci est probablement encore plus important — sa passion de l'acte même d'apprendre. Les connaissances cognitives et métacognitives participent de cette motivation à « apprendre à apprendre ». Nous y reviendrons dans le chapitre consacré aux apports déterminants de la psychologie cognitive dans le domaine de la motivation scolaire (cf. chapitre 4). Viau (2005) souligne également « l'importance pour un enseignant d'être un modèle d'apprentissage pour les jeunes, car il faut bien admettre que peu d'entre eux voient des adultes prendre plaisir à apprendre » (p. 8).

Relevons enfin que ce rapport jouissif au savoir est souvent considéré comme suspect par les parents et les enseignants : est-il bien sérieux d'apprendre sans souffrir ? La connaissance ne relève-t-elle pas de l'effort et l'apprentissage de la douleur ? La culture judéo-chrétienne ne nous a-t-elle pas appris qu'il fallait souffrir pour être beau... et intelligent ? « Par tradition éducative, le plaisir a souvent mauvaise presse en éducation. La plupart de ceux que l'on appelle les grands pédagogues ont beau avoir montré qu'il était essentiel à l'apprentissage, la réalité scolaire pendant des siècles a été fondée (et reste fondée) sur l'effort, le renoncement. (...) On parle certes du plaisir d'apprendre et du plaisir d'enseigner, mais on a tendance à intégrer dans leur nature même la douleur et la pénibilité » (Houssaye, in Pourtois, 2002, p. 207).

Sestier et Hochet (2005) suggèrent à ce propos de donner au jeu une place beaucoup plus importante à l'école : « Par sa proximité avec le monde de l'enfance, par sa simplicité, par la rupture qu'il entraîne avec le quotidien du collège, le jeu est un formidable outil de mobilisation des élèves » (p. 38). Le jeu permet ainsi de différencier les apprentissages et place *de facto* l'élève dans une dynamique favorable où le plaisir retrouve une place importante. Les auteurs proposent, par exemple, de demander aux élèves de créer des questions sur la leçon, de se lancer des défis d'équipe à équipe, de fabriquer éventuellement un jeu autour d'un thème, etc.

3.5 – L'axe apprenant-apprenant et la motivation

On peut distinguer deux types principaux de stimulations sociales : la compétition et la coopération. Or, le groupe en tant que tel est souvent apostasié en classe. Il peut pourtant jouer un rôle déterminant dans la motivation et influencer les performances des enfants de manière importante. De nombreuses recherches ont démontré que les prestations d'individus en groupe sont meilleures que celles d'individus isolés. De plus, le rendement du groupe se rapproche davantage de celui du meilleur participant que de la moyenne (Osterrieth, 1988).

Lorsque l'on compare l'influence respective de la compétition et de la coopération sur la motivation et la performance, on constate que la rivalité individuelle est plus stimulante que la rivalité entre deux groupes d'élèves. Quant à la coopération, si elle produit parfois de moins bons résultats en terme d'émulation, elle a par contre le « mérite de contribuer de manière efficace à la socialisation de l'enfant et à l'établissement de relations inter-humaines » (*op. cit.*, p. 98).

Pour Archambault et Chouinard (1996), « l'engagement et la persévérance dans des activités d'apprentissage seraient plus poussés dans un environnement où l'accent est mis sur l'apprentissage et la maîtrise que dans un environnement faisant la promotion de la comparaison sociale et la compétition » (p. 116). Il semblerait d'ailleurs que la comparaison entre pairs et la compétition nuisent particulièrement aux élèves faibles (Legrain, 2003).

De plus, en termes d'apprentissages, il est évident que les élèves qui travaillent en groupe sont mis dans des situations de conflits socio-cognitifs très favorables : ils peuvent s'exprimer, confronter leurs opinions, corriger leurs erreurs et, également, expérimenter la coopération et l'entraide. Notons ici que l'utilisation du jeu en classe présente un double intérêt : elle rejoint la motivation des enfants pour les activités ludiques et suscite naturellement le travail de groupe. Néanmoins, si le travail de groupe est en soi porteur d'apprentissage, il semblerait que l'élève accorde une importance certaine à l'évaluation de sa production personnelle dans le groupe : « Si la performance individuelle n'est pas perceptible dans la production finale du groupe, les participants du groupe vont avoir tendance à fournir moins d'efforts que s'ils savent que leur performance individuelle est évaluée » (Legrain, 2003, p. 104).

La Garanderie définit, dans ce même registre, deux catégories d'élèves motivés : le composant et l'opposant. Le premier serait le prototype de l'élève coopérant. Il trouverait sa motivation « dans l'acte grâce auquel il s'assimile autrui en faisant siens ses points de vue » (1991, p. 96). Le second aurait tendance à s'opposer au groupe et à trouver sa motivation dans la compétition et la concurrence : « L'opposant sera motivé par l'exigence de protéger son originalité, sauver son quant-à-soi, afin d'accéder à ce qui fait sa propre différence. C'est dans la confrontation avec autrui qu'elle pourra émerger. L'idée d'avoir à se battre éveille et stimule sa motivation » (*op. cit.,* p. 102).

Fenouillet (1996), présentant les travaux de Nicholls, établit une distinction éclairante à ce propos entre *implication de l'ego* et *implication pour la tâche.* Dans la conception de l'*implication de l'ego,* la difficulté de la tâche est jugée en référence à la performance des autres : l'individu qui démontre une grande habileté doit réussir là où les autres échouent. La réaction des individus au feed-back dépend ici de l'image qu'ils ont de leurs capacités :

- quand le feed-back indique que la performance est inférieure à celle des autres, les individus qui ont une faible estime de leurs capacités deviennent anxieux ou réduisent leur effort et leur performance décroît ;

- quand le feed-back indique que la performance est au-dessus de la moyenne, les individus augmentent leur effort s'ils pensent qu'ils sont plutôt habiles, mais n'augmentent pas leur effort s'ils sont certains d'avoir une mauvaise habileté ;

- si les individus estiment avoir de bonnes capacités, mais que le feed-back indique une performance inférieure à la moyenne, ils produisent une augmentation de l'effort et de la performance ;

- si le feed-back confirme les attentes des individus qui estiment avoir de bonnes capacités, ils ont tendance à moins poursuivre leur effort et à obtenir une performance moins bonne.

Quant aux sujets *impliqués pour la tâche* — qui cherchent donc plus à s'améliorer dans la maîtrise d'une tâche que démontrer leur habileté aux autres — ils ont une «forte sensation de compétence simplement pour ce qu'ils accomplissent. (...) Quelle que soit la difficulté de la tâche, ils espèrent pouvoir gagner en maîtrise. Pour eux l'apprentissage est une fin en soi. Ils vont donc maintenir une implication à long terme » (*op. cit.,* p. 110). Les individus impliqués pour la tâche bénéficient donc d'une forte motivation intrinsèque.

La compétition et la coopération peuvent donc se définir comme des facteurs motivationnels importants. Il s'agit néanmoins de rappeler que si leurs effets en termes de stimulation ne sont pas à négliger, il faut bien distinguer ce que l'une et l'autre peuvent apporter à nos élèves en termes de développement de la personnalité : alors qu'avec la coopération on stimule des comportements d'entraide et de solidarité, avec la compétition « on classe, on hiérarchise, on qualifie. Par là même, l'école qui recourt à l'émulation entérine les inégalités alors qu'elle devrait s'attacher à les réduire » (Not, 1987, p. 90). De plus, pour les élèves en difficulté, la compétition a un effet déplorable sur leur motivation, alors que « la coopération produit un effet de protection » (Vallerand et Thill, 1993, p. 545).

Not souligne également une autre faiblesse de l'émulation : « Elle repose sur un déplacement des fins. Avec elle, celles-ci ne se définissent pas par l'accession à la connaissance, mais par l'utilisation de la connaissance comme moyen de dépasser les autres » (*op. cit.*, p. 89). Comme le relèvent également Pelletier et Vallerand (1993), « lorsque les individus sont engagés dans une situation compétitive, ils luttent entre eux pour obtenir une récompense explicite (p. ex. un trophée) ou quelquefois implicite (p. ex. l'attention de l'enseignant, le plaisir de battre un adversaire). L'activité devient alors un instrument pour atteindre le but visé et la motivation devient extrinsèque, généralement à régulation externe » (*op. cit.*, p. 265).

Il semble effectivement que, si les élèves sont encouragés à se fixer des objectifs personnels d'apprentissage, ils sont plus motivés et réussissent mieux que si leur but est de montrer qu'ils peuvent faire mieux que leurs camarades. Les élèves doivent donc être encouragés à entrer en compétition avec eux-mêmes — plutôt qu'avec les autres — en concentrant leur effort sur des objectifs personnels. Comme le relève également Legrain (2003), « c'est dans un contexte positif qu'on développe la motivation, non en milieu hostile ou de compétition » (p. 60).

En conclusion de ce chapitre, nous pouvons souligner l'importance de chacun des acteurs dans la qualité relationnelle de l'environnement d'apprentissage des élèves. L'importance d'un climat global favorable dans la classe est souligné par Mc Combs (2000) : « Il paraît essentiel que les élèves baignent dans un environnement scolaire qui leur garantisse un climat de bienveillance et le soutien moral authentique, entretenu par les enseignants, leurs camarades et les autres acteurs du système » (p. 29). Pour certains élèves, les buts sociaux sont en effet plus importants que les buts scolaires : établir une bonne relation avec l'enseignant et les pairs, s'identifier aux autres, partager leurs valeurs, se faire des amis sont parfois les objectifs prioritaires de certains élèves.

Relevons ici que l'utilisation du tutorat et du monitorat en classe permet, par exemple, de concilier les vertus de la coopération et l'importance de l'apprentissage. Ainsi, « une dynamique de classe fondée sur la solidarité, le respect mutuel et le goût du travail » peut se mettre en place (Kaddour et Léon, 2005).

3.6 – *Le contrat pédagogique*

L'utilisation d'un contrat pédagogique avec l'élève permet de le responsabiliser et favorise son implication active dans un projet. Comme le relève B. André (1998), « l'approche contractuelle vise à diminuer la passivité des élèves et à leur permettre de grandir dans l'autonomie, en déplaçant la conduite de la classe et du travail de la responsabilité du seul maître à une coresponsabilité entre maître et élèves » (p. 51). Le contrat pédagogique participe donc bien d'une approche humaniste de la motivation scolaire.

Pierret-Hannecart et Pierret (2003) définissent le contrat pédagogique comme « un accord explicite, généralement écrit, négocié entre l'enseignant et l'apprenant à propos d'une situation d'apprentissage ou de formation, qui peut être à dominante cognitive, méthodologique ou comportementale » (p. 85). Le contrat pédagogique peut donc concerner aussi bien l'acquisition des connaissances scolaires que les attitudes face à la tâche ou les comportements de l'enfant.

Cette *pédagogie de contrat* nous semble particulièrement adaptée pour travailler sur les difficultés motivationnelles de l'élève. Elle implique une procédure particulière qui engage l'enseignant et l'élève dans une relation duale. La première étape consiste en une rencontre entre l'enseignant et l'élève où l'adulte expose sa vision de la difficulté de l'enfant et la nécessité de trouver rapidement une solution. Ici, « l'appréciation porte sur ce que montre l'élève, et non ce qu'il est » (Dauphin, 2004, p. 134). L'avis de l'élève sur la situation est ensuite sollicité et l'enseignant lui demande s'il voit une solution aux difficultés rencontrées. L'étape suivante est déterminante : à partir de l'analyse de la situation actuelle, les deux partenaires définissent un objectif précis, facilement observable — et donc facilement évaluable par l'enseignant et par l'élève. Une fois le contrat rédigé, les deux partenaires signent le contrat.

Pour qu'un contrat soit opérationnel, il faut le rendre le plus explicite possible. La forme peut varier (cf. Meirieu, 1989 ; Develay, 1996 ; André, 1998 ; Covington, 2000 ; Dauphin, 2004), mais différents éléments sont à préciser obligatoirement :

- les partenaires ;
- l'objectif visé, formulé en termes opérationnels, et la définition des indicateurs de réussite permettant de l'évaluer ;
- la durée et la date d'évaluation du contrat (échéance).

Si nécessaire, on précisera également la récompense éventuelle si l'objectif est atteint et la remédiation prévue si l'élève n'a pas respecté le contrat ou si l'objectif n'est pas atteint pour une autre raison. On peut également indiquer les ressources à disposition de l'élève et les personnes qui seront informées de la teneur du contrat (diffusion). La situation actuelle — justifiant le contrat — peut également être décrite.

Pour un bon fonctionnement du contrat, quelques conditions doivent être respectées. Il s'agit tout d'abord de privilégier les échéances courtes et les objectifs limités, surtout si la démarche est nouvelle pour l'élève ou si celui-ci est jeune. Il vaut mieux permettre à l'enfant d'atteindre un objectif simple que d'envisager un dispositif plus ambitieux, mais qui risque d'échouer. La réussite du contrat permet de restaurer une dynamique favorable : il s'agit donc avant tout d'assurer la réussite d'un dispositif fonctionnel qui permettra de relancer le processus motivationnel.

Il faut ensuite — comme mentionné plus haut — que l'objectif soit extrêmement précis et éviter les formulations ambiguës ; les clauses doivent être claires, le comportement visé et les critères d'acceptabilité précisés. On évitera, par exemple, de demander à l'élève de « mieux apprendre ses leçons », mais on précisera qu'il devra dorénavant « faire réciter à ses parents chaque leçon, au moins une fois ». L'élève doit toujours savoir comment il peut évaluer si l'objectif est atteint.

Plusieurs difficultés sont également à signaler. Tout d'abord, la démarche peut être assez lourde. Le contrat concernera donc, en principe, un ou deux élèves qui présentent des difficultés motivationnelles importantes et sera utilisé pendant une durée limitée. De plus, s'il est utilisé trop fréquemment, il risque de perdre son caractère important, officiel. Il s'agit donc d'utiliser le contrat seulement lorsqu'il est vraiment nécessaire.

Ensuite, il faut admettre que, très souvent, c'est l'enseignant qui est à l'origine de la démarche. « L'enseignant et l'apprenant ne sont donc pas sur un pied d'égalité pour négocier un contrat. (...) L'élève n'est pas vraiment libre de passer ou non un contrat si l'enseignant le lui propose. La réalité de cette limite n'empêche pas que le contrat est d'abord conçu au bénéfice de l'élève » (Pierret-Hannecart et Pierret, 2003, p. 88).

Przesmycki (2005) souligne également la difficulté et constate que, souvent, le contrat s'apparente à « un plan de travail déguisé » où l'élève doit s'engager formellement sans possibilité de discussion, alors que le contrat devrait se réaliser dans un « accord réciproque et négocié » entre l'élève et l'enseignant. L'enfant devrait donc se sentir libre d'accepter ou de refuser le contrat. Pour respecter la démarche, Przesmycki conseille, par exemple, de permettre à l'enfant de s'exprimer en premier, « afin d'alléger la parole de l'adulte » (p. 29).

Si le contrat est un dispositif motivationnel intéressant, c'est parce qu'il permet à l'élève de devenir acteur de ses apprentissages en rendant explicites les « règles du jeu pédagogique. (...) Par la transparence qu'il crée, le contrat pédagogique favorise l'auto-évaluation dans la mesure où ont été explicités les éléments qui la permettent : les comportements attendus et les critères de réussite » (*op. cit.*). Ainsi, le contrat donne à l'élève un sentiment de contrôlabilité puisque celui-ci connaît l'objectif, les moyens pour l'atteindre et peut évaluer sa progression.

Comme le relève Develay (1996, p. 112), « le contrat introduit la temporalité dans l'action car il fixe toujours une échéance. Il responsabilise les deux partenaires que sont l'enseignant et l'enseigné ». Dans la démarche contractuelle, l'élève se sent pris au sérieux et reconnu comme sujet. Le contrat favorise donc sa responsabilité.

3.7 – *Comment motiver dans l'approche humaniste*

Rogers (1984) a mis en évidence l'importance fondamentale de l'affectivité et le rôle essentiel que joue la relation interpersonnelle dans le processus motivationnel. Il propose également de partir de la motivation intrinsèque pour stimuler l'apprentissage et de développer l'autonomie des élèves. Les propositions sont donc les suivantes :

L'autonomie :

– Donner à l'élève une certaine latitude dans la sélection et l'organisation de la matière à étudier (choix des exercices, du matériel, des horaires, des modalités de travail, etc.).

– Proposer plusieurs approches possibles et laisser aux élèves la possibilité de choisir celle qui leur convient (par exemple, à partir de la théorie des intelligences multiples de H.Gardner).

– Demander à l'élève de fixer lui-même ses objectifs.

– Établir des dispositifs d'auto-évaluation.

– Permettre à l'élève de choisir les modalités de l'évaluation (moment, durée, objectifs évalués, barème, etc.).

– Établir un contrat pédagogique avec l'élève en définissant clairement les objectifs poursuivis et les responsabilités de chacun.

– Établir les règles du jeu social qui permettent à chacun d'exprimer son autonomie et d'en percevoir les limites (discipline).

Les besoins et les intérêts :

– Partir du questionnement des élèves, de leurs problèmes, de leur vécu, de leurs préoccupations.

– Laisser les élèves exprimer leurs besoins, leurs attentes, leurs intérêts.

– Les encourager à poser des questions et imaginer des problèmes, avant de commencer un nouveau thème.

– Présenter un travail sous la forme d'une énigme.

– Essayer de concilier projet personnel et projet scolaire ; rechercher l'adhésion des élèves aux objectifs proposés.

– Proposer des activités d'apprentissage signifiantes, authentiques, proches de la vie courante.

Les relations :

– Respecter l'opinion des élèves.

– Croire inconditionnellement aux possibilités de progression de chaque élève.

– Développer l'image et l'estime de soi par la pensée positive.

– Exprimer sa joie quand l'élève réussit.

– Multiplier les messages de réassurance.

– Toujours évaluer le travail de l'enfant et non sa personne.

– Demander à l'enfant d'aider un élève plus faible.

– Profiter des interactions entre pairs et des conflits socio-cognitifs.

– Demander aux élèves d'expliquer à autrui, après la leçon, ce que l'enseignant a permis de comprendre.

– Maintenir un dialogue régulier avec tous les partenaires impliqués (parents, enseignants, psychologue scolaire, etc.).

Le climat :

– Établir un climat de confiance et d'écoute.

– Prévoir des moments d'accueil de l'élève (par exemple le matin) ou de bilan (en fin de journée).

– Favoriser la coopération et l'entraide dans la classe.

– Développer l'humour dans la classe.

– Se passionner soi-même, en tant qu'enseignant, pour la matière enseignée et partager son enthousiasme aux élèves.

– Manifester son plaisir de travailler en classe.

3.8 – Le modèle humaniste : réflexions critiques

Rappelons pour conclure ce chapitre que, s'il est effectivement bel et bon de se sentir bien ensemble, le système éducatif poursuit avant tout des objectifs d'apprentissage. L'école n'est pas le Club Med et la société n'est pas uniquement composée de beatniks fumant pétard dans de jolies maisons bleues adossées à la colline on y vient à pied on ne frappe pas.

Nous pensons en effet à la nécessité d'accompagner cette « liberté pour apprendre » célébrée par Rogers. Tous les élèves ne sont pas motivés par l'apprentissage des fractions parce qu'ils trouvent l'enseignant cool et l'ambiance de classe sympa ! Comme le souligne Henry (1989, p. 13), « certains élèves semblent échouer à l'école parce qu'ils aiment se laisser vivre, parce qu'ils préfèrent se détendre en compagnie d'amis plutôt que de peiner pour réussir ». Est-il dès lors *déontologiquement* admissible pour un enseignant de tolérer que l'élève « bon vivant » se complaise dans une vie scolaire dorée, à l'abri des conflits, qu'ils soient affectifs ou cognitifs ?

Le présupposé selon lequel l'individu aurait une tendance naturelle et innée de vouloir se développer a également été souventes fois contesté. Nous pouvons effectivement nous demander si le besoin d'apprendre et de se développer ne serait pas plutôt appris et encouragé par le milieu dans lequel vit l'enfant. Comme le relèvent Pelletier et Vallerand (1993), « la plus importante critique est probablement celle qui vise cette tendance sous-jacente innée à tendre vers un état de développement continuel de soi » (in Vallerand et Thill, 1993, p. 279).

Dans le domaine scolaire, la critique est la même : on peut en effet se demander si les élèves ont un besoin viscéral d'apprendre à déchiffrer une consigne, à décoder un point dans un système orthonormé et à conjuguer les verbes au conditionnel passé 2e forme. Perrenoud (1996, pp. 47-51) souligne également les dangers d'un angélisme candide : « Les enfants ont-ils besoin d'apprendre à lire et à compter ? Pas tous. Ceux pour lesquels c'est un véritable besoin sont souvent ceux qui apprennent avec le plus de facilité. Faut-il laisser les autres « tranquilles » aussi longtemps qu'ils n'éprouveront pas le besoin ou l'envie d'apprendre ? Dans notre société, l'instruction est obligatoire : l'enseignant n'a pas la latitude d'attendre que ses élèves aient vraiment besoin ou envie d'apprendre ».

Ici encore, nous apprécions toute la richesse et l'intérêt de l'approche humaniste, mais nous restons lucide et flairons le danger d'une approche exclusivement platonicienne de la sagesse humaine...

4

LA MOTIVATION DANS LA PSYCHOLOGIE COGNITIVE

La motivation — qui pourrait se situer métaphoriquement au niveau du cœur dans l'approche humaniste — se localise dans la tête pour la psychologie cognitive. Il s'agira donc, dans cette perspective, de considérer la motivation comme le fruit d'une élaboration cognitive du sujet. Le rôle de l'information apportée par l'enseignant à l'élève se révélera donc déterminant. Cette information concernera aussi bien la tâche à effectuer, les stratégies à adopter, les conditions de réalisation, les buts, etc. que le regard de l'élève sur sa propre cognition. Houssaye (1993) parle à ce sujet de « l'influence de la forme réflexive de la cognition humaine » (p. 230) et Trocmé-Fabre (1987) affirme que « l'information et la prise de conscience de son propre fonctionnement et de ses propres structures sont la méthode la plus efficace pour induire le changement chez l'être socialisé » (p. 92).

Le contrôle que l'élève a de ses propres pensées peut effectivement influencer directement ses sentiments et son comportement. Les élèves devraient donc apprendre qu'ils peuvent maîtriser leurs pensées. L'enseignant devrait les aider à « comprendre que les sentiments négatifs qu'ils éprouvent envers eux-mêmes naissent aussi de leurs pensées et que des pensées négatives ou anxieuses assombrissent l'estime naturelle qu'ils peuvent avoir d'eux-mêmes » (Mc Combs, 2000, p. 67).

Pour aider l'enfant, l'enseignant devra donc tenter, dans un premier temps, de mieux comprendre les représentations que se fait l'enfant de la tâche et de ses compétences. Il devrait donc permettre à l'enfant de verbaliser « ce qu'il se dit dans sa tête », « ce qu'il se raconte », au moment de commencer une tâche ou lorsqu'il la réalise. « Lorsque l'enfant se trouve devant la situation scolaire (devoirs à la maison, écoute en classe ou réalisations), notre première démarche est d'accéder à son monologue intérieur, à ce qu'il pense et se dit dans le contexte immédiat de l'apprentissage » (Pleux, 2001, p. 71).

Dans ce chapitre, nous analyserons les composantes cognitives de la motivation en nous inspirant abondamment de l'excellente présentation faite par Tardif (1992, chap. II). Pour cet auteur, la motivation scolaire est composée de cinq ensembles de facteurs :

1. La conception de l'élève des buts poursuivis par l'école.
2. La conception de l'élève de ce qu'est l'intelligence.
3. La perception de la valeur de la tâche à effectuer.
4. La perception des exigences de la tâche.
5. La perception de la contrôlabilité de la tâche.

4.1 – La conception de l'élève des buts poursuivis par l'école

Dweck (1986) établit une distinction intéressante entre les *buts d'apprentissage* et les *buts de performance* : les élèves qui poursuivent des buts d'apprentissage « jugent de la valeur d'une activité en fonction des nouvelles connaissances qu'elle lui permettra d'acquérir. (...) Quant aux buts de performance, ils se caractérisent par la poursuite d'objectifs de reconnaissance sociale ; obtenir de bonnes notes pour plaire à l'enseignant, obtenir un prix, etc. » (Huart, 2001, p. 224).

Les élèves qui poursuivent des buts d'apprentissage sont donc motivés à développer leurs compétences et à améliorer leurs apprentissages. Ils sont donc stimulés par des tâches difficiles ou nouvelles. Ils souhaitent relever des défis et acquérir ainsi de nouvelles compétences. Leur motivation est intrinsèque. Ces enfants pensent également que l'effort est payant et leur permet d'enrichir leurs connaissances. L'échec n'est pas considéré ici par l'enfant comme définitif : il signifie simplement qu'un effort supplémentaire est exigé ou qu'une stratégie plus efficace doit être utilisée. Lorsque l'individu est orienté vers un but d'apprentissage, le risque de résignation face à l'échec est quasi inexistant (Fenouillet, 2003).

Par contre, les élèves qui poursuivent des buts de performance souhaitent avant tout obtenir des évaluations favorables. Leur motivation est d'abord suscitée par la récompense obtenue par les jugements positifs de l'enseignant. Ces élèves sont donc plutôt attirés par des tâches simples qu'ils se savent capables de réussir : le succès doit être garanti puisque l'essentiel, à leurs yeux, est d'obtenir des évaluations favorables et d'obtenir ainsi une forte reconnaissance sociale. La compétition et la comparaison sociale sont pour eux très importantes. Ces enfants considèrent, en général, que l'intelligence est un trait fixe de la personnalité et que l'enjeu de toute évaluation est de confirmer ou d'infirmer leurs aptitudes innées. Si leurs résultats sont décevants, ces enfants vont progressivement développer un sentiment de résignation et d'impuissance.

Fenouillet (2003, p. 50) signale que les dernières recherches établissent une distinction entre deux buts de performance : un but d'approche de la performance et un but d'évitement de l'échec, ce dernier risquant de conduire l'élève à la résignation.

Les travaux de Covington (2000) confirment l'importance des conceptions de l'enfant des buts poursuivis par l'école. Pour cet auteur, l'école doit « changer les raisons d'apprendre » et passer d'un système basé sur le *jeu compétitif* à un système basé sur un *jeu équitable*. Dans un système basé sur le *jeu compétitif*, la réussite de l'élève est déterminée en la comparant aux résultats des autres élèves (approche normative) : obtenir une bonne note — si possible une note meilleure que celle de ses camarades — devient l'enjeu unique. Pour l'élève, le but poursuivi à l'école n'est pas d'apprendre, mais d'obtenir des bons résultats. Pire, « dans un jeu compétitif, ce sont les autres élèves qui finissent par constituer un obstacle à la réussite » (p. 41), sa propre valeur se définissant par sa capacité à surpasser les autres élèves.

Dans un *système basé sur l'équité*, l'élève ne se mesure pas aux autres, mais à lui-même. L'enfant doit donc se préoccuper uniquement de ses compétences et des moyens lui permettant de les développer. Dans ce système, l'élève connaît donc son propre niveau d'acquisition, les objectifs à atteindre et les critères de réussite précis. L'élève sait donc exactement ce que l'on attend de lui et a un contrôle sur ses apprentissages. L'enseignant lui donnera également les moyens lui permettant d'évaluer sa progression. Ce sont donc l'effort accompli et la progression des apprentissages qui motiveront les élèves. « De cette façon, réussir ou échouer est uniquement lié au fait de répondre ou non aux exigences formulées par le professeur, et pas aux résultats obtenus par rapport aux autres » (p. 78). Dans ce système, tous les élèves ont donc des chances égales de réussir, la réussite des uns n'entraînant pas *de facto* l'échec des autres.[6]

---

6. Nous ne reviendrons pas ici sur l'*effet Posthumus* et les dangers d'une approche normative de l'évaluation (cf. notamment Crahay, 1996, pour un développement du thème). Précisons néanmoins que la loi de Posthumus souligne la tendance des enseignants à évaluer les élèves en répartissant leurs résultats dans une distribution gaussienne des notes et donc à l'idée que, dans chaque classe, quel que soit le niveau des élèves, il y aura toujours quelques élèves en échec. Autrement dit, l'*effet Posthumus* montre que l'élève en échec est celui qui est le dernier du groupe-classe auquel il appartient et non l'élève qui n'a pas atteint les objectifs du programme.

Pour Tardif (1992), les conceptions de l'élève des buts poursuivis par l'école évoluent avec l'âge : il est rare, en effet, de trouver dans les petites classes (maternelles et première primaire) des enfants passifs et démotivés. Les jeunes élèves s'engagent au contraire activement dans les activités proposées. Si l'enseignant des grandes classes trouvent des élèves démotivés — notons au passage que pour être « démotivé » il faut effectivement avoir été « motivé » une fois — c'est donc que la conception que l'élève se faisait de l'école au début de sa scolarité a changé. En fait, plus l'élève avance en âge, plus il a tendance à considérer l'école non pas comme un lieu d'apprentissage, mais comme un lieu où on l'évalue. « La conception que les élèves ont des buts poursuivis par l'école change radicalement au cours de la scolarité. Bon nombre d'entre eux passent d'une représentation de l'école comme lieu d'apprentissage à une représentation considérant que la fonction d'évaluation prédomine. (...) Lorsque l'on interroge de jeunes élèves sur les raisons de leur investissement dans les tâches scolaires, ils soulignent — bien plus que leurs aînés — l'intérêt de la tâche et la possibilité d'acquérir des connaissances : le petit de première année veut apprendre à lire et devenir grand ; bon nombre d'adolescents se soucient surtout d'éviter l'échec. De plus, les jeunes élèves évoquent régulièrement des buts personnels, alors que les élèves plus âgés ont tendance à mettre en avant la norme utilisée par l'enseignant pour évaluer leurs réussites » (Crahay, 1999, p. 287).

Le fait de considérer l'école selon une de ces deux modalités n'est pas sans conséquence sur la motivation. En effet, l'élève qui conçoit que l'enseignant poursuit des buts d'apprentissage désire accroître ses connaissances, alors que l'élève qui pense que l'école poursuit des buts d'évaluation attend tout simplement une reconnaissance de sa compétence. Ce dernier choisira des activités présentant un minimum de risques et n'engagera sa participation que s'il est persuadé qu'aucun jugement ne menace l'estime de soi. S'il se sent inquiété, il consacrera la majeure partie de son énergie à des « stratégies de fuite » plutôt qu'à des « stratégies de participation ».

De plus, « lorsque l'élève se représente que l'école poursuit des buts d'évaluation, il attribue plus fréquemment ses réussites et ses échecs à des causes externes ainsi qu'à des causes qu'il ne maîtrise pas » (Tardif, 1992, p. 107) (phénomène de l'attribution causale). Ici encore, le lien avec la motivation est manifeste : comment l'élève peut-il en effet se sentir motivé par une tâche qui semble échapper complètement à son pouvoir ? Nous avons déjà longuement abordé plus haut cette importante notion de contrôlabilité.

4.2 – *La conception de l'élève de ce qu'est l'intelligence*

La motivation semble également dépendre — dans une moindre mesure cependant — de la conception que l'élève se fait de l'intelligence. Cette conception aura évidemment des conséquences directes sur son comportement.

Si l'élève pense que l'intelligence est stable et n'évolue pas dans le temps, il considérera également l'école comme un lieu d'évaluation (avec toutes les conséquences sur la motivation que nous venons d'évoquer). En outre, on comprend aisément pourquoi l'élève qui croit en la stabilité de l'intelligence hésite à prendre des risques : s'il échoue, il aura la preuve, définitive, de son incompétence ! Il choisira donc plutôt des tâches faciles qui lui garantissent une évaluation positive de son enseignant. S'il échoue régulièrement en invoquant la fatalité d'une hérédité défavorable, il risque de s'enfermer dans un sentiment de résignation dont nous avons vu plus haut l'importance en terme de motivation scolaire.

S'il pense, par contre, que l'intelligence peut se développer tout au long de la vie, l'enfant s'engagera beaucoup plus volontiers dans les apprentissages et sélectionnera des activités contribuant à augmenter ses connaissances... et son intelligence ! Ce que l'élève doit comprendre ici, c'est que l'erreur n'est pas le signe définitif d'une incompétence intrinsèque, mais simplement le signe d'une stratégie inappropriée (Crahay, 1999). Si l'enfant échoue, ce n'est donc pas parce qu'il n'est pas intelligent, mais parce qu'il n'utilise pas les bonnes stratégies.

Tardif souligne qu'un bon nombre d'enseignants ont eux-mêmes une conception qui se réfère à la stabilité de l'intelligence ; il n'est, par conséquent, pas étonnant qu'ils entraînent leurs élèves à développer une telle conception de l'intelligence. De nombreuses enquêtes révèlent « qu'aujourd'hui encore la plupart des enseignants et des parents sont convaincus de ce que l'intelligence est innée et donc non modifiable » (Crahay, 1999, p. 286).

Tardif rappelle aussi que ce ne sont pas les capacités réelles de l'élève qui ont le plus de poids dans sa motivation scolaire, mais la perception que lui-même a de ses capacités. L'enseignant pourra par conséquent aider l'enfant à modifier les représentations qu'il se fait de ses compétences. Joule (2005) encourage par exemple les enseignants à user du *principe de naturalisation* qui consiste à aider l'élève à établir un lien entre ce qu'il est (ses aptitudes, son intelligence, par exemple) et ce qu'il a fait, mais uniquement lorsque ce lien est positif et valorise l'enfant. « S'il vient, par exemple, de réussir un exercice difficile de mathématique, on utilisera des phrases comme : « ça ne m'étonne pas de toi, tu es un bon élève », « je vois que tu as la bosse des maths ». etc., afin de favoriser l'établissement par l'élève d'un lien entre lui-même (sa nature) et son comportement ou sa performance scolaire » (p. 12).

À l'inverse, il propose d'utiliser le *principe de dénaturalisation* lorsque l'élève risque d'associer ses aptitudes à ses résultats, lorsque ces derniers ne sont pas bons. « Lorsque sa copie de mathématiques est médiocre, on dira, idéalement (...) : « Écoute-moi, Hugo, 5/20 signifie que ta copie n'est pas bonne ; 5/20 ne signifie pas que tu n'es pas doué en maths, personnellement je suis même persuadé du contraire... » (p. 13). L'enseignant permettra ainsi à l'élève de ne pas associer ses résultats médiocres à un manque d'intelligence ou de considérer qu'il est dans sa nature d'échouer.

Plus globalement, l'enseignant devra donc amener l'élève à contrôler ses propres pensées : « Quand on apprend aux individus à comprendre et à contrôler le fonctionnement de leur pensée, ils parviennent à se dégager de l'influence des convictions négatives qu'ils ont à propos de leurs capacités ou de leur crainte d'échouer » (Mc Combs, 2000, p. 26). Les élèves retrouvent ainsi du pouvoir sur leurs performances et développent leur sentiment de contrôlabilité. Ils peuvent s'auto-motiver et devenir acteur — voire metteur en scène ! — de leurs apprentissages. Les élèves peuvent ainsi découvrir qu'ils ont un contrôle personnel sur le fonctionnement de leur pensée et, par conséquent, qu'ils peuvent se motiver eux-mêmes.

4.3 – La perception de la valeur de la tâche à effectuer

La motivation dépend encore de la valeur que l'élève attribue à la tâche. S'il pense que l'activité présente des retombées cognitives, affectives ou sociales importantes, il s'y engagera plus volontiers. Or, si pour l'enseignant la matière enseignée participe (toujours ?) de buts et de finalités évidents, elle ne prend que rarement sens pour l'enfant. Comme le relève Develay (1996, p. 88), « le savoir apparaît souvent aux élèves déconnecté de son usage, coupé même de la pensée, parce que non relié à un usage opérationnel. On apprend, pensent-ils, pour apprendre, pas forcément pour faire ou pour analyser une réalité avec ce que l'on sait. (...) La connaissance leur apparaît comme autant de pièces d'un puzzle qu'on présenterait en vrac sans jamais avoir à composer une maquette avec. L'école passe en revue des savoirs démontés que les élèves ont peu fréquemment à utiliser pour construire des cohérences. Les savoirs ne sont pas vécus au futur. » Covington (2000) est également sévère avec les enseignants dans le choix qu'ils font des activités proposées aux élèves : « Nul besoin de prendre la classe pour un lieu d'éternelle fiction où ne circulent que des informations insignifiantes, inutiles et sans rapport avec les réalités de la vie quotidienne » (p. 124).

Il incombe donc à l'enseignant de donner une signification à chaque activité qu'il présente à ses élèves. De fait, plus l'enseignant rend explicites la signification, la valeur et la portée de la tâche, plus l'élève sera motivé. Il devra donc communiquer aux élèves les objectifs de la tâche et en justifier l'intérêt. « Concrètement, cela signifie répondre aux questions : « À quoi ça sert ? Ça va nous apprendre quoi ? » (...) Quand l'enseignant met en relation les apprentissages scolaires avec des situations de la vie réelle, alors l'élève peut donner un sens à son travail » (Auger et Bouchelart, 1995, pp. 63-109).

Quatre « entrées » sont possibles pour donner du sens aux activités scolaires (B. André, 1998) :

- *Comprendre notre monde* : il s'agit tout d'abord de permettre aux élèves de « trouver dans les savoirs soit une explication des phénomènes et productions, soit des outils pour agir sur ce monde ».

- *Comprendre l'aventure humaine* : l'enseignant peut également « placer les savoirs dans le contexte de leur découverte, dans la progression des questions de l'humanité ».

- *Se comprendre* : il s'agit également « d'amener l'élève à prendre conscience de son style cognitif. (...) Le développement d'une approche métacognitive va dans la même direction, celle de donner du sens ».

- *Entrer dans un projet* : l'auteur propose ici de permettre à l'élève de vivre un projet personnel « qui soit en accord avec les buts de l'institution ». L'utilisation d'un contrat peut être envisagée.

« Donner du sens » consiste donc à indiquer la direction, le sens. Très souvent, l'enseignant justifie le sens en indiquant la direction du futur. Parfois, l'élève ne comprend pas ce discours parce qu'il a des difficultés à se projeter dans un avenir lointain. « Il n'est pas toujours pertinent de s'en remettre à une possible utilité dans le futur (« Un jour, vous verrez à quoi ça sert » ou encore « Plus tard, si vous faites tel ou tel métier, vous vous servirez de ce que je vous montre en ce moment »). Le problème que comporte ce genre de justification est qu'à leur âge la plupart des élèves ne se projettent pas très loin dans le futur et que leurs choix professionnels restent à faire » (Archambault et Chouinard, 1996, p. 130).

Une étude récente présentée par Legrain (2003, p. 81) montre, par exemple, que les élèves des milieux défavorisés qui réussissent à l'école n'énoncent pas un projet professionnel lointain — qui stimulerait leur motivation —, mais considèrent, au contraire, les retombées immédiates au fait d'apprendre (comprendre le monde qui les entoure, augmenter leurs connaissances, etc.). L'enseignant aurait donc tout intérêt, lorsque c'est possible, de justifier la pertinence des apprentissages scolaires en se référant à la vie actuelle de l'enfant ou à son avenir proche.

Rappelons également, comme nous l'avons souligné au chapitre 3.4, que le sens peut se donner aussi par une réflexion historique sur l'émergence des connaissances dans le passé. Les réponses apportées par le nouveau savoir touchent souvent à des questions existentielles fondamentales qui passionnent les enfants. Ainsi, la compréhension du passé permet souvent de donner du sens au présent et d'envisager le futur. L'enseignant devient alors le médiateur permettant à la nouvelle génération de s'approprier le patrimoine culturel de la société dans laquelle il grandit (Caudron, 2004).

Ainsi, si l'élève connaît la valeur de la tâche, il s'engagera dans les activités proposées et s'impliquera dans son travail. Nous pouvons ajouter ici que, souvent, les problèmes de la gestion de la discipline, en classe, se posent lorsque les élèves ne comprennent pas l'enjeu des apprentissages proposés. Ils se mettent alors à perturber le déroulement de la classe, alors qu'ils « se conduisent rarement mal lorsqu'ils sont captivés par une activité » (Charles, 1997, p. 57). Les propositions présentées dans cet ouvrage jouent donc un rôle important dans la gestion de la discipline puisqu'elles contribuent à motiver les élèves et donc à diminuer *de facto* les mauvais comportements. Les travaux de Kounin, effectués dans les années 70, confirment l'importance, pour l'enseignant, d'organiser des activités motivantes et variées pour gérer le groupe et prévenir les mauvais comportements. [7]

4.4 – La perception des exigences de la tâche

La perception des exigences de la tâche comporte quatre composantes principales : les connaissances antérieures dont dispose l'élève avant de commencer une tâche ; les stratégies qui sont requises pour la mener à bien ; les étapes qui sont nécessaires à sa réalisation ; et enfin, les critères retenus pour décider de la réussite ou non de la tâche.

Ici également, plus les exigences de la tâche seront explicitées par l'enseignant et plus l'élève se sentira concerné par l'activité. Pour susciter leur motivation, l'enseignant veillera donc à donner à ses élèves un maximum d'informations, à leur offrir des choix, à leur faire éprouver l'utilité de ce qu'il enseigne, à les aider à se fixer des buts et des objectifs, à leur proposer des activités signifiantes et à les encourager (Archambault et Chouinard, 1996).

Si l'élève connaît les objectifs poursuivis à court, moyen et long terme, il pourra mobiliser ses ressources et les diriger vers le but à atteindre. Plus les exigences seront claires et plus les objectifs seront opérationnels, plus il sera facile à l'enfant de comprendre ce qu'on attend de lui et comment il doit procéder pour réussir. Il s'agit donc de « rendre le plus transparent possible les règles du jeu scolaire » (de Saint-Denis, 2005, p. 56). Nous pouvons donc souligner ici l'importance capitale de la **mise en projet** effectuée avant l'activité — qui aide l'élève à anticiper sur le résultat attendu — et de la **synthèse métacognitive** — qui permet,

---

7. Cf. Charles (1997) pour une présentation synthétiques de ces travaux.

après l'activité, d'objectiver, de s'interroger sur ce que l'on a fait, de prendre conscience des apprentissages effectués, d'évaluer les difficultés rencontrées, d'imaginer les situations de transfert, d'envisager les prolongements possibles, etc.

Caron (2003) propose, par exemple, d'utiliser des « billets d'entrée et de sortie » que les élèves remplissent au début ou à la fin du cours. Sur les « billets d'entrée », les élèves notent par exemple les questions qu'ils se posent encore sur la matière abordée lors du dernier cours, les apprentissages déjà effectués ou leurs attentes pour le cours qui vient. Les « billets de sortie » permettent de noter la notion la plus importante apprise durant le cours, une question qu'ils souhaiteraient poser ou encore le moment qu'ils ont préféré. Cette démarche vise à aider les élèves « à diriger leur attention sur ce qu'ils vont apprendre, à réfléchir sur ce qu'ils ont appris et à renseigner l'enseignant sur les apprentissages faits par les élèves » (p. 316).

Dans ce sens, l'utilisation avec les élèves d'une grille d'auto-évaluation — où ils peuvent noter leurs résultats et évaluer leur progression — est souvent très stimulante. « Un autre type d'intervention consiste à encourager les élèves à se fixer un objectif de rendement avant un examen et à comparer par la suite cet objectif au résultat obtenu. Cette façon de faire possède l'avantage d'aider les élèves qui ont tendance à sous-estimer ou à surestimer leur compétence à réajuster leurs objectifs et à effectuer une évaluation plus juste des efforts qu'ils devront faire » (*op. cit.*, p. 131).

Tardif établit également ici un lien intéressant entre le concept d'évaluation formative et celui de motivation : « Si l'enseignant planifie la démarche en y insérant des évaluations formatives qui aident l'élève à chacune des étapes de la réalisation, le niveau de motivation de celui-ci est plus élevé que si le travail ne donne lieu qu'à une évaluation finale et sommative » (p. 123).

Pour B. André (1998) aussi, l'évaluation — si elle répond à certains critères — peut favoriser la motivation de l'élève. Pour lui, l'évaluation doit notamment être « spécifique », c'est-à-dire porter sur un point précis qui permet à l'apprenant de comprendre exactement en quoi son résultat ou sa méthode sont exacts ou erronés ; l'évaluation doit également être « stratégique » pour que « l'élève saisisse en quoi la stratégie qu'il a utilisée pour résoudre le problème ou restituer la connaissance demandée a échoué » (p. 48).

Nous reviendrons plus loin sur cet aspect important de l'évaluation en reprenant de nombreuses suggestions, élaborées ailleurs, sur l'évaluation formative et la différenciation pédagogique (Vianin, 1995).

4.5 – La perception de la contrôlabilité de la tâche

La perception de la contrôlabilité de la tâche (cf. chapitre 3, composante 6) renvoie l'élève à des processus métacognitifs : « Suis-je capable de maîtriser la tâche ? Est-elle sous mon contrôle ? etc. » De la réponse à ces questions dépendront derechef l'engagement, la participation et la persistance de l'élève dans l'activité. Si l'élève a le sentiment de maîtriser les techniques ou de connaître les stratégies efficaces, il s'engagera volontiers dans la tâche. Si, au contraire, il ne voit pas du tout ce qu'il doit mettre en place pour accomplir l'activité avec succès, il hésitera à se lancer dans la réalisation de la tâche.

L'enseignant peut une nouvelle fois agir avec efficacité sur ce paramètre de la motivation en rendant explicites les stratégies cognitives et métacognitives appropriées. La connaissance et l'utilisation des processus cognitifs efficaces sont déterminantes pour développer ce sentiment de contrôlabilité. Elles favorisent la perception de ses propres compétences et modifient favorablement les représentations de ses capacités (Bandura, 1986). Or, nous avons déjà souligné plus haut que les élèves qui se sentent compétents dans une tâche s'y engagent et présentent une forte motivation. On peut voir à nouveau ici les liens étroits qui se tissent entre la perception de la contrôlabilité, la perception de ses compétences et les perceptions attributionnelles dans la dynamique motivationnelle (Huart, 2001).

L'élève doit donc comprendre que l'utilisation de stratégies efficaces lui permet de réussir et lui donne un fort sentiment de contrôlabilité. Dans notre pratique d'enseignant spécialisé, nous avons expérimenté fréquemment la pertinence de ce type de remédiation. Pour exemple, nous aimerions prendre l'exercice classique de l'étude de texte pratiqué dans toutes les classes : les élèves à qui nous avons présenté une procédure efficace de résolution de ce type d'exercices ont tous amélioré leurs résultats de manière spectaculaire. Cette progression s'est parfois traduite dans les notes scolaires par une augmentation de plus d'un point en un seul trimestre !

Le sentiment que l'élève peut avoir de la contrôlabilité dépend une nouvelle fois du phénomène de l'attribution causale (cf. chapitre 3, composante 6) : pour certains élèves, une bonne performance sera attribuée à la chance ou au fait que les problèmes présentés étaient faciles (attribution causale externe). Pour d'autres, la même performance sera attribuée à leurs propres compétences (attribution causale interne) et augmentera ainsi leur confiance en eux et leur motivation.

En conclusion, nous pourrions synthétiser les cinq facteurs motivationnels présentés dans ce chapitre en disant que :

– plus l'élève perçoit l'école comme un lieu d'apprentissage,

– plus il sait que l'intelligence est une entité modifiable,

– plus il connaît la valeur et les retombées de la tâche,

– plus il connaît les exigences de la tâche et les stratégies efficaces,

– plus il pense pouvoir maîtriser et contrôler la tâche…

… ET PLUS IL SERA MOTIVÉ !

4.6 – Comment motiver dans la psychologie cognitive

Comme nous venons de le voir, la motivation scolaire fait intégralement partie, pour la psychologie cognitive, du système métacognitif de l'élève. Elle comprend deux systèmes de conception — buts poursuivis à l'école et conception de l'intelligence — et trois systèmes de perception — valeur, exigences et contrôlabilité de la tâche. Les propositions se rattacheront par conséquent à ces différents ensembles de facteurs :

Les buts :

– Définir les activités en termes de buts d'apprentissage.

– Considérer l'erreur comme une chance de mieux comprendre le fonctionnement de l'élève et comme une étape nécessaire à tout processus d'apprentissage.

– Aider les élèves à comprendre ce qui les motive, ce qui ne les motive pas, ce qui pourrait les motiver (par le dialogue pédagogique).

– Amener l'élève à comprendre le concept de responsabilité personnelle.

L'intelligence :

– Éviter d'attribuer la réussite au hasard et l'échec au manque de don.

– Aider l'élève à prendre conscience que l'intelligence est composée d'un ensemble de connaissances et de stratégies cognitives et métacognitives, fondamentalement évolutives et susceptibles d'être apprises.

– Discuter ouvertement avec l'élève de son système d'attribution causale.

La valeur :

– Partir des représentations de l'élève.

– Rendre signifiantes les activités d'apprentissage.

– Souligner la valeur de la tâche et les retombées personnelles de l'activité.

Les exigences :

–   Informer les élèves des exigences de la tâche.

–   Utiliser des « tableaux de situation » individuels tenus constamment à jour qui permettent aux élèves de savoir où ils en sont dans leurs apprentissages.

–   Prévoir une forme de « carnet de devoirs et leçons » favorisant l'auto-régulation (planification, gestion du temps, auto-contrôle, etc.).

–   Demander aux élèves les étapes à franchir et le temps à consacrer pour exécuter leur travail.

–   Aider les élèves à prévoir les obstacles qui peuvent gêner l'atteinte des objectifs et les ressources qu'ils peuvent solliciter.

Les stratégies :

–   Fournir — ou faire découvrir aux élèves — les méthodes et stratégies efficaces.

–   Présenter à l'élève des connaissances procédurales et conditionnelles et pas uniquement des connaissances déclaratives.

–   Objectiver avec les élèves sur leur façon d'apprendre, de résoudre un problème, d'utiliser des stratégies, etc.

–   Utiliser des fiches d'auto-régulation des processus d'apprentissage (activité métacognitive).

La contrôlabilité :

–   Développer le sentiment de contrôlabilité.

–   Amener l'élève à réaliser que les causes de l'échec ou de la réussite lui appartiennent (importance des stratégies cognitives).

–   Aider l'élève à prendre conscience de l'existence d'une attitude inadaptée.

–   Définir avec l'élève en quoi consiste une attitude mieux adaptée.

–   Utiliser la « gestion mentale » (La Garanderie) qui permet aux élèves de restaurer leur sentiment de contrôlabilité et leur redonne du pouvoir sur leurs réussites.

4.7 – Le modèle cognitif : réflexions critiques

Les théories les plus récentes sur la motivation insistent beaucoup sur les processus métacognitifs et sur l'importance de faire appel à des niveaux plus aigus de conscience dans le but de contrôler ses pensées et ses émotions. Quand les élèves découvrent qu'ils peuvent maîtriser leur système cognitif — voire modifier celui qu'ils ont acquis —, ils ressentent un profond sentiment de contrôle personnel (Mc Combs, 2000).

Mais, comme nous l'avons vu dans les chapitres précédents, la dynamique motivationnelle ne relève pas uniquement de la cognition. Lorsque nous introduisions ce chapitre, nous soulignions en effet l'intérêt de la psychologie cognitive pour la « tête ». Mais l'homo sapiens est aussi un homo avec un cœur, des tripes, une *boudine* et même, parfois, une belle-mère ! C'est dire que nous ne saurions limiter notre intervention au seul dernier étage de l'édifice. La vision rationnelle de l'être humain proposée par cette approche ne permet pas d'appréhender toute la complexité de l'origine des comportements et des mécanismes de la motivation (Roussel, 2000). Comme le relèvent également Donnadieu et Isnard (1990), « l'homme est-il toujours et entièrement le calculateur froid du modèle ? » (p. 353). Nous ne le pensons pas. Nous préférons par contre restaurer l'importance de la boudine et de la belle-mère et intégrer par conséquent les apports successifs des quatre modèles présentés dans une approche consensuelle, plutôt que de cultiver un sectarisme résolu et exclusif.

C'est dans ce sens que nous désirons présenter maintenant la théorie de la motivation humaine de Joseph Nuttin.

5

UNE THÉORIE DE LA MOTIVATION HUMAINE

La théorie de la motivation humaine de Nuttin constitue une référence incontestée dans le domaine, c'est pourquoi nous lui accordons une place toute particulière. Elle pose un cadre général permettant de situer les autres approches dans un champ de connaissances plus large.

Nous développerons dans ce chapitre les différents aspects de la motivation que Nuttin fait ressortir dans la formulation synthétique suivante : « Grâce à leur élaboration cognitive, les dynamismes du comportement se développent en une variété de tendances vers des buts précis que la personne s'assigne dans son interaction avec le monde » (1987, p. 108).

Nous verrons donc tout d'abord l'origine de ces « dynamismes du comportement » et l'importance de « l'interaction avec le monde ». Les buts et les projets « élaborés cognitivement » feront l'objet du paragraphe suivant. Nous développerons enfin la définition très intéressante que donne Nuttin de l'acte motivé.

5.1 – L'origine de la motivation : la « relation requise »

Pour Nuttin, « la tendance au progrès apparaît comme un trait essentiel du besoin de croissance et d'autodéveloppement humain » (1987, p. 108). C'est dire que l'origine de la motivation se trouve dans le dynamisme inhérent au fonctionnement même de l'individu. Comme le souligne Nuttin, « fonctionner ou être actif est l'état normal de l'organisme » (1985, p. 123). La personne humaine a donc besoin de se développer, de progresser, de connaître, comme elle a besoin de se nourrir et de dormir. « Ainsi l'être humain a besoin d'explication et de progrès, comme il a besoin d'oxygène » (*op. cit.*, p. 269).

Nous pourrions établir un parallèle entre cette « tendance au progrès » de Nuttin et ce qu'Osterrieth (1988) appelle le « besoin de grandir » : « Le besoin de grandir nous paraît si bien faire partie de la personnalité de l'enfant et se rattacher à son dynamisme propre que nous proposerions de parler à son propos de *motivation naturelle* » (p. 68).

Pourtant, ce besoin de fonctionner et de progresser ne se fait pas dans une vacuité temporelle ou spatiale. Au contraire, il se définit dans ce que l'auteur appelle une « relation requise entre l'individu et le monde » (1985, p. 91). Le dynamisme dont il vient d'être question se différencie donc en fonction des situations dans lesquelles le sujet se trouve impliqué.

Ces deux aspects — le besoin de croissance inhérent à l'individu et le contact de l'homme avec le monde — forment en réalité les « deux pôles d'une seule unité fonctionnelle » : « Nous basant sur une conception *relationnelle* du comportement, nous placerons le point de départ de la motivation ni dans un stimulus intra-organique, ni dans le milieu, mais dans le caractère dynamique de la relation même qui unit l'individu à son environnement (I-E) » (*op. cit.*, p. 12 et 268).

5.2 – La direction de la motivation : buts et projets

Ce besoin de se développer et de progresser ne peut se faire en l'absence d'une directionnalité. Il va donc se concrétiser dans des buts et des projets. L'individu introduit donc dans son comportement la dimension du futur [8]. Par conséquent, pour Nuttin, « ce sont les processus de formation de buts et de projets qui représentent cette ligne ascendante du développement » (*op. cit.*, p. 203). Le but constitue un résultat attendu qui détermine en fait le projet (moyens à utiliser) et l'acte du sujet : « C'est le résultat à obtenir qui à chaque moment intervient dans la régulation de l'acte motivé » (*op. cit.*, p. 110). Le but va donc diriger

---

8. Étymologiquement, le mot « projet » renvoie effectivement à l'idée d'un « jet en avant » (pro-jet).

l'attention de l'élève et son action. Pour Nuttin, la « projection » du sujet dans son avenir est donc une clé de la motivation humaine.

L'auteur insiste sur le fait que le but et le projet sont le fruit d'une élaboration cognitive. Ils ne sont donc pas des données extérieures au sujet, mais des véritables « constructions motivationnelles » personnelles. Pour lui, « le dynamisme du comportement se trouve profondément transformé sous l'influence de la forme réflexive de la cognition humaine » (1987, p. 103). L'auteur rappelle également plus loin et plus simplement : « C'est le sujet lui-même qui se pose des critères nouveaux concernant les résultats à atteindre et les buts à réaliser » (1985, p. 201). C'est cette souplesse dans la construction et le traitement cognitif des buts et des projets qui, pour Nuttin, donne à la motivation et à la personnalité une grande éducabilité (1987, p. 109).

Mc Combs (2000) insiste également sur le rôle que joue le sujet dans la détermination des buts et des objectifs. Pour elle, les élèves exercent un contrôle sur leur existence lorsqu'ils se fixent des objectifs : « Avoir un objectif aide les élèves à contrôler la direction dans laquelle ils souhaitent aller. C'est en apprenant à se fixer un but et à tout mettre en œuvre pour l'atteindre que les élèves comprennent le pouvoir de décision dont ils jouissent sur leurs actes et leurs projets » (p. 83). Le rôle de l'enseignant est donc d'enseigner aux élèves à se fixer un but et à déterminer un objectif. L'enjeu, pour Mc Combs, est existentiel : « C'est en se fixant des objectifs et en les atteignant que les gens parviennent à échapper à une existence sans but, sans objet, et donc à tirer le meilleur parti possible de leur existence » (*op. cit.*). Elle rejoint en cela la *théorie du positionnement d'objectif* qui a également souligné l'importance des intentions et des objectifs conscients dans la dynamique motivationnelle (Fenouillet, 2003).

Ce qui est particulier à la motivation humaine, c'est que, une fois le but atteint, l'individu a tendance à vouloir se dépasser encore et fixer un nouveau but qui va au-delà du but atteint. C'est cette faculté que l'homme a de ne point se résigner à rester à l'état d'équilibre qui « influence et oriente l'action humaine dans la direction du progrès » (Nuttin, 1985, p. 203).

Cette faculté de se lancer des défis se trouve également confirmée dans le fait que « le sujet, rencontrant de temps en temps un obstacle, ou voyant son attente déçue, tend à multiplier ses efforts et à attacher une valence supérieure à l'objet-but qui se révèle difficile à atteindre » (*op. cit.*, p. 254).

5.3 – *Motivation et discrépance*

Pourquoi et comment l'élaboration cognitive de buts et de projets suscite-t-elle la motivation ? Pour répondre à cette question, Nuttin introduit le concept de « discrépance ».

C'est, selon lui, l'écart entre la situation actuelle telle que le sujet la conçoit et l'état final évoqué sous la forme de but et de projet qui aboutit à la « discrépance ». Comme le définit l'auteur, « la formation du projet prend de l'avance sur sa réalisation effective. Le but et le projet se conçoivent plus vite qu'ils ne se réalisent. De ce fait, un décalage se crée entre l'objet conçu et l'objet perçu dans la réalité. C'est cette distance psychologique entre l'objet conçu et l'objet perçu qui constitue la discrépance. (...) C'est le décalage entre la réalisation cognitive d'un besoin (but ou projet) et sa réalisation au niveau réel qui donne lieu à la tension » (*op. cit.*, p. 217). La discrépance tire donc son effet dynamique de la construction d'un objet-but non encore réalisé.

Croizier (1993) situe également le projet dans cette tension entre la situation actuelle et l'anticipation du but visé : « Un projet vise le futur et présuppose que l'homme peut intervenir dans le cours de l'histoire des événements. La stratégie mise en œuvre alors s'appuie, d'une part, sur les connaissances qu'il a de la réalité passée et actuelle et, d'autre part, sur une anticipation projective d'un choix dans le cadre des alternatives imaginées comme possibles » (p. 61).

Pour Nuttin, c'est à nouveau l'individu en situation I-E (Individu-Environnement) qui élabore cognitivement cette discrépance : l'environnement lui offre l'objet perçu dans la réalité et l'individu construit cognitivement l'objet-but désiré.

5.4 – Une définition de l'acte motivé

Nuttin intègre tous les éléments évoqués jusqu'ici dans une définition englobante de l'acte motivé. Nous ne résistons pas au plaisir de vous asséner la formule proposée par l'auteur (touffu, abscons et amphigourique, l'auteur ! Nous vous avions averti !) :

$$A = (I - E)s \rightarrow Ep \dashrightarrow Ec\ Ep2/Ec > ...$$

Abscons mais humain, Nuttin ne nous laisse pas longtemps mariner dans notre ignorance. Il explicite sa formule en décrivant l'action motivée (A) comme :

- un sujet en situation (I-E)s

- qui agit sur ->

- l'état de chose perçu (Ep)

- en vue --> d'un état de choses conçu (but) (Ec)

- qui se réalise plus ou moins dans le résultat (comparaison entre le nouvel état de choses perçu et le but fixé) : Ep2/Ec

- le résultat atteint renforce positivement ou négativement le sujet et l'encourage à poursuivre (ou non) son activité (>...)

Exemplifions : supposons l'individu (I) qui lit cet ouvrage (vous ! puisque nous vous avons quand même sous la main...). Le réseau d'interactions que vous entretenez avec le monde (E) est tel que vous vous trouvez maintenant assis, atone, lisant un chapitre difficile (I-E)s. Mais cet état de choses doit changer : vous devez lire ces pages pour passer au plus vite à des considérations plus familières (Ep). Le but et le projet ainsi définis (Ec), l'acte même de lire ce chapitre n'est autre chose qu'une action (->) sur l'état de choses actuel tel que vous le percevez et l'éprouvez en vue de le changer (-->). L'effet positif ou négatif de votre lecture (Ep2/Ec) sera de nature à vous renforcer (ce que nous espérons vivement !) ou non dans votre comportement et vous donner le courage ou non de vous attaquer aux autres pages du livre.

Le comportement décrit peut en réalité se résumer à trois phases : d'abord, le sujet en situation construit, à partir du donné physique, son rapport au monde ; ensuite, il élabore des buts et des projets qui concrétisent ses besoins (phase dynamique et motivationnelle) ; enfin, il agit et tente de réaliser ses projets (phase d'exécution).

5.5 – Comment motiver en s'inspirant de la théorie de Nuttin

Nous venons de voir que, pour Nuttin, le sujet en situation élabore cognitivement des buts et des projets. La tension motivationnelle naît de l'écart créé entre la situation actuelle et le but conçu. Comme le relève également Lévy-Leboyer (1999), « le but, l'objectif, sa clarté et sa précision représentent une condition essentielle et souvent suffisante de la motivation » (p. 10). C'est dans cette dynamique du projet que s'inscrivent les propositions suivantes :

– Utiliser le caractère dynamogénique du projet.
– Remettre à l'élève une liste d'objectifs d'enseignement afin qu'il puisse dès le départ connaître le but (motivation par les fins).
– Souligner l'aspect nouveauté de tout apprentissage.
– Présenter des activités qui représentent un défi.
– S'assurer de l'engagement du sujet dans le projet.
– Donner à l'élève les moyens de réaliser son projet (motivation par les moyens).
– Introduire la conscience d'un progrès dans l'apprentissage.
– S'assurer que la tâche proposée entre dans la « zone proximale de développement » de l'enfant (cf. chapitre 3, composante 3).
– Différer l'aide aussi longtemps que possible.
– Rechercher, au moyen des critères explicites d'évaluation, l'écart entre l'objectif poursuivi et l'état actuel d'apprentissage.

– Utiliser la formule du contrat pour définir le projet (ne pas oublier la variante du « contrat de paresse », cf. Moyne, 1992, p. 28 ou chapitre 14.2 du présent ouvrage, pour une présentation sommaire).

5.6 – *Une approche consensuelle de la motivation*

Pour conclure, nous aimerions rappeler que l'intérêt de la théorie de la motivation de Nuttin réside, selon nous, sur le fait qu'elle offre un cadre permettant d'intégrer les autres approches présentées jusqu'ici.

Selon ses termes mêmes, l'auteur plaide pour « une psychologie où l'analyse du comportement (dans son sens limitatif et béhavioriste) irait de pair avec une analyse de la *pensée*, c'est-à-dire des activités cognitives » (*op. cit.*, p. 70). Pour Nuttin, il ne s'agit donc pas d'opposer comportement et cognition, mais de les considérer « comme deux composantes d'un seul fonctionnement comportemental » (*op. cit.*).

Roussel (2000) relève également que « plusieurs travaux théoriques récents proposent d'intégrer les théories de la motivation en raison de leur réelle complémentarité. (...) Au delà des controverses, les modèles théoriques intégrateurs qui sont développés depuis quelques années tentent de proposer un agencement cohérent des théories qui finalement se complètent » (pp. 15-16).

6

MOTIVATION, DIFFÉRENCIATION PÉDAGOGIQUE ET ÉVALUATION FORMATIVE

« La question n'est pas d'enseigner mais que l'élève apprenne » (Auger et Bouchelart, 1995, pp. 63-109). Il s'agit donc, pour l'enseignant, de mettre en place des dispositifs pédagogiques favorisant l'apprentissage des élèves, d'observer leur activité et de réguler l'action.

Nous avons souligné, dans le chapitre précédent, l'importance des buts et des objectifs. Si la motivation naît effectivement de l'identification claire des objectifs, elle se maintient si l'élève peut évaluer sa progression vers ces mêmes objectifs. Pour que la motivation dure, l'élève doit donc pouvoir situer sa performance et ses résultats par rapport à l'objectif fixé, d'où l'importance des informations données, en cours de route, sur les progrès accomplis et sur le chemin qui reste à parcourir (Lévy-Leboyer, 1999). « Ni la connaissance des résultats seule, ni le but seul, sont suffisants pour augmenter les résultats. Par contre, ensemble, le but et le *feed-back* apparaissent suffisants pour augmenter la performance » (Fenouillet, in Chappaz, 1996, p. 112).

Par conséquent, nous complétons ici notre recueil de propositions pour mieux motiver les élèves par quelques suggestions consacrées à l'évaluation formative et à la différenciation pédagogique. Il existe un lien étroit entre l'évaluation formative, la différenciation pédagogique et les facteurs motivationnels [9]. Néanmoins, nous ne développerons pas ici les concepts théoriques de cette problématique complexe. Nous reprenons par contre des propositions que nous avions formulées ailleurs (Vianin, 1995) et qui nous semblent convenir parfaitement à l'objet traité dans cet ouvrage :

L'évaluation formative :

– Vérifier au début d'un chapitre ce que l'élève sait (évaluation formative de départ) et éviter ainsi de lui infliger une matière qu'il connaît déjà.

– Fournir suffisamment d'indications pour que l'élève sache tout le temps où il en est et où il doit aller.

– Permettre à l'élève de se corriger à tout instant, de rattraper ses erreurs, de s'évaluer à nouveau.

– Utiliser des instruments d'auto-évaluation formatrice qui permettent à l'élève de voir ce qu'il ne sait pas, ce qu'il a bien réussi et ce qu'il doit encore améliorer.

– Établir un « coin évaluation » où l'élève peut en tout temps évaluer ses apprentissages en regard des objectifs fixés (matériel auto-correctif).

– Situer l'élève par rapport à ses performances antérieures ; lui permettre de voir les progrès qu'il a accomplis.

– Évaluer la performance de l'enfant par rapport à ses propres progrès et non en comparaison des autres.

– Éviter une évaluation sommative prématurée et brutale.

– Commenter les travaux d'élèves par des conseils, des remarques sur la méthode utilisée, sur les erreurs commises, sur les réussites (!) et ne pas se contenter de souligner simplement les erreurs.

– Compléter un graphique permettant d'évaluer sa progression (grille des résultats, tableaux, « courbes de température »).

– Compléter AVANT l'exercice une fiche d'auto-évaluation pronostique et proactive des processus.

– Vérifier sa stratégie PENDANT l'exercice en consultant une fiche décrivant la procédure efficace.

– Compléter APRÈS l'exercice une fiche d'auto-évaluation rétroactive.

La pédagogie différenciée :

– Différencier les moyens, les procédures, les méthodes, les objectifs d'approfondissement.

---

9. Nous avons abordé rapidement cette question dans les chapitres 4 (2.6) et 4 (4.4).

- Maintenir l'attention en utilisant des variables comme le mouvement, la couleur, les contrastes, les références personnelles, etc.

- Viser les objectifs fondamentaux pour tous les élèves.

- Respecter le niveau des élèves : éviter les tâches trop difficiles ou trop longues (ou trop faciles et trop courtes).

- Présenter au début d'un nouveau chapitre l'évaluation sommative prévue.

- Favoriser « l'explicite » et la transparence : informer les élèves des objectifs poursuivis, de la signification des activités, des moyens et des méthodes utilisés, des critères de réussite et des progrès accomplis.

- Multiplier les voies d'accès aux connaissances : varier les situations, les outils, les méthodes, etc.

- Utiliser des situations-problèmes.

- Relier une information nouvelle à une ancienne.

- Fournir aux élèves des tableaux de suggestions et de remédiations.

7

CONCLUSION DU RECUEIL DE PROPOSITIONS

Toute intervention pédagogique touche à un ensemble considérable de paramètres. La complexité de l'humaine nature et la difficulté à appréhender tous les aspects d'une attitude aussi complexe que la motivation ne nous permettent pas d'envisager des solutions simplistes et des formules à l'emporte-pièce. Comme le rappelle Lafont (1992), « l'action humaine se trouve à un carrefour où interviennent à la fois les stimuli extérieurs, les pulsions plus ou moins inconscientes, le système de tri et de traitement des informations et les automatismes acquis correspondant aux stratégies d'action réussies. Cela met en évidence l'extraordinaire complexité du processus motivationnel et redonne tout son sens à la notion humaine de liberté » (p. 9).

En conclusion, nous voulons par conséquent réaffirmer avec conviction l'intérêt d'une approche intégrant toutes les ressources des différentes théories [10]. La motivation ne peut pas être envisagée comme un

---

10. Nous aimerions souligner ici — à l'attention du lecteur scrupuleux — que l'intervention dans le domaine de la motivation n'exige pas une application minutieuse de toutes les propositions faites dans cet ouvrage. Très souvent, en effet, une intervention ponctuelle et ciblée permet des modifications importantes de l'attitude de l'enfant. L'intervenant veillera par conséquent à utiliser la complémentarité des approches, en choisissant quelques propositions qui lui semblent intéressantes en fonction de son contexte propre d'intervention.

bloc monolithique et intangible. Il serait naïf d'imaginer régler la question par un seul type d'interventions. Un grand nombre de ressorts interviennent, avec lesquels il faut jouer (Giordan, 1998). Nous sommes donc bien ici dans une problématique transdisciplinaire, ce qui veut dire qu'elle n'est pas uniquement analysable par l'intermédiaire du regard d'une seule discipline. « La richesse, c'est d'avoir à disposition beaucoup de « façons de voir », beaucoup de « lunettes » différentes, mais il est important de savoir qu'il peut exister d'autres paires de lunettes et surtout, il est nécessaire de connaître les limites de chacune de ces lunettes » (Favre, in Chappaz, 1996, p. 166).

Nous tâcherons donc, dans la seconde partie du livre, de montrer l'importance de solliciter tous les moyens nécessaires pour favoriser la motivation de l'élève sans nous focaliser exclusivement sur une approche particulière. Pour nous, toute intervention qui ne tient compte que d'une composante au détriment de l'ensemble des facteurs formant la motivation scolaire présente des limites sérieuses (Tardif, 1992).

Nous concluons ici la présentation des différentes approches théoriques de la motivation. Nous avons jusqu'ici tenté de définir le concept, de décrire les composantes de l'acte motivé et d'exposer comment les principaux courants de la psychologie ont abordé cette problématique.

Nous désirons maintenant — dans le souci déjà évoqué de construire ce cadre théorique avant tout pour servir notre projet — aborder les questions suivantes : comment se manifestent dans la classe les difficultés de motivation ? Comment les évaluer ?

CHAPITRE

5

Les difficultés de motivation : comment elles s'expriment

Contrairement à d'autres difficultés scolaires — nous pensons notamment à celles qui impliquent des processus cognitifs déficients, des difficultés de maintien ou de généralisation des acquisitions, des carences affectives, etc.- le manque de motivation s'exprime avec suffisamment d'évidence pour ne point échapper très longtemps à l'attention des enseignants. Néanmoins, il peut se déguiser en des formes plus subtiles que le bâillement exaspérant ou la somnolence mortifiante !

1

L'ÉTAT D'IMPUISSANCE

La première forme que peut revêtir le manque de motivation se manifeste par une attente presque inéluctable de l'échec et un apprentissage progressif de l'abandon. Cette caractéristique comportementale comporte trois composantes : l'attribution de l'échec à des causes sur lesquelles l'enfant n'exerce aucun contrôle ; un manque de réponses initiées personnellement (acceptation de ce qui se passe autour de soi, sans intervention ; l'exemple expérimental classique : laissé seul dans un local, l'enfant laisse sonner un réveil qui s'est mis « accidentellement » en marche durant l'absence momentanée de l'adulte) ; et l'incapacité à persévérer dans une tâche où l'on a connu l'échec.

Cette attitude « d'impuissance acquise » (Seligman, 1971) — que nous avons déjà abordée dans le chapitre 3 (composante 7) — peut également se manifester dans le phénomène des « stratégies maximisantes » : les élèves tendent à persévérer dans le choix de réponses qui ne sont renforcées que de temps en temps. « Apparemment, il existe une réduction du niveau d'aspiration qui entraîne les enfants à accepter moins de 100 % de succès comme une issue idéale » (*op. cit.*). Autrement dit, pour certains élèves, une réussite partielle, voire médiocre, est tout à fait acceptable. Leur pugnacité s'éteint lorsque la tâche est accomplie, indépendamment de la qualité du résultat.

Cet « état d'impuissance », ce sentiment de perte de pouvoir trouvent certainement leur origine dans les échecs fréquents vécus par l'enfant. Progressivement, celui-ci en vient à douter de ses compétences et à ne plus avoir confiance dans ses propres solutions. Il va alors rechercher du soutien dans son environnement. Normalement, les enfants qui grandissent acquièrent progressivement une meilleure autonomie et se reposent de moins en moins sur l'aide extérieure ; or, ces élèves, parce qu'ils perdent confiance en eux, deviennent de plus en plus dépendants de leur milieu (orientation vers le milieu).

À l'extrême, l'état d'impuissance conduit les individus à ne même plus savoir ce qu'ils veulent. Tout choix leur devient impossible. Aumont et Mesnier (1992) parlent à ce sujet « d'état de non-faire, d'impuissance et de peur » (p. 152). Pour ces auteurs, cette perte de pouvoir est chargée en plus « d'épistémophobie qui s'inscrit dans la négation même du désir de connaître » (p. 153).

2

L'ÉVITEMENT D'EFFORT

Dans une forme atténuée, l'état d'impuissance peut se manifester par ce que Rollet (1992) appelle « l'évitement d'effort ». La motivation des « éviteurs d'effort » est en fait très forte, mais elle s'active uniquement « pour éviter de se trouver pris au piège de s'engager dans des activités qui ne leur plaisent pas vraiment » (p. 34). Selon l'auteure, plus les parents et les enseignants chercheront à motiver l'enfant, plus celui-ci sera motivé... à éviter l'effort. L'adulte se trouve ici dans une situation paradoxale, difficile à accepter. Nous y reviendrons dans la conclusion de l'ouvrage.

Rollet fait dans son article une description pittoresque — mais combien pertinente — de l'éviteur d'effort : il travaille soit extrêmement lentement — alors qu'il est capable de travailler normalement dans les domaines qui lui conviennent — soit très vite, mais de façon extrêmement bâclée. Il utilise de plus des stratégies singulières : « Une stratégie caractéristique est la réaction atypique aux éloges. D'habitude les élèves réagissent aux éloges en intensifiant leurs efforts dans le domaine de travail donné. Avec les éviteurs d'effort, c'est le cas contraire » (p. 35).

Giordan (1998) semble également connaître quelques spécimens intéressants d'éviteurs d'effort : « Il fait tout pour ne rien faire. Il peut passer des heures à « faire semblant de travailler », pour se donner « bonne conscience ». Il se contente, par exemple, de relire son texte de façon distraite ou de répéter mécaniquement une définition. Tout est prétexte pour faire autre chose : discuter avec ses camarades, se déplacer dans la classe, faire répéter son prof ou chercher ses affaires pour gagner du temps » (p. 103). Viau (1997) présente une recherche de Lebeau (1992) qui a recensé plus de 50 stratégies que « les élèves disent adopter pour éviter d'accomplir des activités d'apprentissage. En voici, quelques-unes : regarder des images dans le dictionnaire, se lever pour aiguiser un crayon, repasser avec un crayon sur des lettres déjà écrites, demander des explications inutiles, faire répéter le professeur pour gagner du temps, etc. » (p. 75).

Multipliant les stratagèmes insolites, faisant preuve d'une ingéniosité étonnante, l'éviteur d'effort tente, par un travail opiniâtre de sape, « d'amener l'éducateur à penser que c'est complètement inutile de le pousser » (*op. cit.*). Il invente n'importe quelle excuse pour se dispenser de travailler : il invoquera aussi bien une « myoclonie phrénoglottique » (un « hoquet » en fait, mais l'éviteur d'effort est retors, nous vous l'avions dit !) qu'une panne sèche de son stylo-plume ou évoquera encore une fatigue extrême qui peut bizarrement survenir n'importe où et n'importe quand !

Pour un élève reconnu peu motivé, peu combatif, l'éviteur d'effort fait preuve, dans un véritable duel avec l'adulte, d'une pugnacité rare. Souvent l'enseignant, qui en a pourtant vu d'autres, s'épuise et capitule bien avant lui... L'éviteur d'effort ne souffre pas de manque de motivation, mais il est plus fortement motivé par autre chose que par les tâches proposées par l'enseignant : il est donc « surmotivé, mais pour des raisons qui ne sont pas scolaires. Certains élèves, par exemple, « dépensent beaucoup d'énergie à s'efforcer de protéger le sentiment de leur valeur » (Covington, 2000).

Comme le relève B. André (1998), « cette description de la démotivation se heurte à un paradoxe : ne pas apprendre demande de l'énergie, parfois beaucoup d'énergie. (...) Celui qui s'engage dans la démotivation est motivé dans son choix. Car apprendre est un besoin humain fondamental. » (p. 38). Pour cet auteur, l'attitude de la personne « peut être comprise comme une protestation contre le système dans lequel elle se trouve mais ne se retrouve pas » (p. 39).

Précisons enfin que le « bon élève » peut également développer des stratégies d'évitement d'effort, mais, comme le souligne Caudron (2004), celui-ci « sait s'ennuyer avec discrétion. Pour jouer la comédie de l'attention et de la curiosité permanentes, il a appris toutes sortes de mimiques et d'attitudes qui lui donnent l'air de toujours vouloir écouter, réfléchir ou s'appliquer » (p. 17).

3

LA TRISTESSE

L'éviteur d'effort a quelque chose d'attachant, d'amusant, voire de fascinant. Malheureusement, pour d'autres élèves *amotivés*, le manque de motivation — et donc inévitablement le manque de réussite — affecte rapidement l'estime de soi et peut même engendrer une inadaptation dans ses rapports sociaux. Garbellini (1994) affirme que « dans les cas les plus graves, cette situation peut être qualifiée de *dépression scolaire*, c'est-à-dire une dépression non pas de l'individu en tant que tel mais qui est liée d'une manière spécifique au contexte scolaire. L'élève ressent une mortification et élabore un *deuil* quant à sa réussite et à son intégration à l'école »(in Blanchard, Casagrande, Mc Culloch, p. 175).

Pour Aumont et Mesnier (1992), ce sont les conséquences du sentiment d'impuissance évoqué plus haut qui induisent des comportements solitaires et dépressifs. Ils ont pu remarquer, dans des séances regroupant des élèves en difficulté, que cette tristesse lancinante s'exprime jusque dans les corps : « Chacun se met à sa place, dans son coin, a du mal à se lever, à bouger quand les formateurs proposent de modifier la disposition des tables. C'est l'inertie totale, l'attente passive, le silence. Aucun échange ne vient spontanément entre les personnes réunies » (p. 153).

Cette situation dépressive peut se manifester par un absentéisme réel ou psychologique, mais également par une présence trop marquée : « L'élève interrompra continuellement les rythmes de travail, en valorisant les aspects ludiques et non coopératifs, ainsi qu'en provoquant l'autorité de manière systématique » (*op. cit.*). Selon l'expression d'Houssaye (1993, p. 15), il se mettra à « faire le mort » ou à « faire le fou ».

La privation sociale pourrait également être à l'origine de ce comportement ambivalent. L'élève pourrait considérer l'école comme un lieu d'interactions avec un adulte — pour compenser le manque d'interactions existant ailleurs — et non comme un endroit pour apprendre. Il oscillerait constamment entre une tendance réactionnelle positive qui le pousserait à rechercher aide et attention auprès de l'adulte et une tendance réactionnelle négative qui lui inspirerait, à l'opposé, la crainte, la méfiance et le refus de l'interaction.

Comme on peut le remarquer, les symptômes les plus marqués du manque de motivation peuvent s'accompagner de manifestations moins évidentes. La description que nous venons d'établir va nous aider maintenant à procéder à une évaluation plus précise du problème. Comment, en effet, transcrire de manière rigoureuse des observations effectuées souvent de façon informelle dans le cadre de la vie quotidienne de la classe ?

Nous tâcherons de répondre à cette question dans le chapitre suivant.

CHAPITRE
6

Évaluer la motivation

Si l'enseignant souhaite agir dans le domaine de la motivation, il doit d'abord évaluer la situation de l'élève et établir son profil motivationnel. Or, l'évaluation d'une attitude pose des problèmes particuliers auxquels un enseignant est mal préparé. De plus, il est très difficile de trouver dans la littérature des instruments adaptés à la situation de l'enfant et permettant d'évaluer valablement la motivation. Nous allons par conséquent donner dans ce chapitre quelques propositions méthodologiques permettant de construire soi-même ce type d'instrument. Le livre de référence dont nous nous inspirerons abondamment est l'excellent ouvrage « Enseigner des attitudes » de Morissette et Gingras (1989). Nous allons donc nous aider de l'évaluation des attitudes proposées par ces auteurs et adapter leurs propositions à la question de la motivation scolaire [1].

1

CONSIDÉRATIONS GÉNÉRALES

Avant de présenter de manière plus précise les méthodes et les instruments d'observation et d'évaluation, nous désirons émettre quelques considérations générales qui vont nous aider à évaluer la motivation (Morissette et Gingras, 1989) :

-   Des instruments de mesure très simples (listes de vérification ou grilles d'appréciation) conçus par l'enseignant constituent des sources d'information généralement suffisantes ; ils sont préférables aux techniques de mesure empruntées directement à la psycholo-

---

1.   Nous nous demanderons, en conclusion de l'ouvrage, si la motivation est réellement une « attitude » : nous verrons que la question est très complexe et que les nuances à apporter sont importantes et permettent une clarification du concept.

gie — qui sont rarement utilisables par l'enseignant sans modifications.

– Comme il est impossible d'observer directement une attitude, la mesure portera, non pas sur l'attitude elle-même, mais sur ses manifestations ; les enseignants ne pourront observer que des comportements verbaux ou non verbaux leur permettant d'inférer le changement interne correspondant.

– L'enseignant devrait diversifier sa façon de mesurer les manifestations d'une même attitude : il se servira tantôt de ce que l'élève fait, tantôt de ce qu'il dit ; il profitera tantôt des témoignages de l'élève, tantôt de ceux de ses pairs ou de ses parents.

– Si l'enseignant exprime clairement ses attentes (sous forme d'objectifs spécifiques par exemple), il lui sera facile de mesurer les progrès de l'enfant et d'évaluer l'atteinte des objectifs.

– L'observation est sans conteste la technique la plus importante pour apprécier l'évolution d'une attitude.

Deldime et Demoulin (1975) confirment l'importance de l'observation dans l'évaluation des mobiles comportementaux et relèvent le danger de se limiter aux révélations de l'individu lui-même : « Cette source d'informations est à considérer avec réserves car si l'individu n'agit pas sans motif, il est difficile parfois de découvrir les vraies motivations : d'une part, nous ne connaissons pas toujours nos vrais mobiles d'action, et, d'autre part, il nous est possible de les cacher aux autres » (p. 208).

2

LES MANIFESTATIONS EXTÉRIEURES DE L'ATTITUDE MOTIVÉE

Les considérations générales émises ci-dessus — notamment les deuxième et troisième remarques — nous encouragent à colliger maintenant les manifestations extérieures de la motivation ou du manque de motivation. Quels sont en effet les comportements observables (ce que le sujet fait) représentatifs de l'attitude motivée ? Et quels sont les éléments que l'élève pourra exprimer (ce que le sujet dit) qui traduiront sa motivation ?

Nous parlons dans cet ouvrage de *manifestations de l'attitude motivée*. Viau (1997) fait, quant à lui, la distinction entre les *indicateurs* — qui correspondent chez nous aux manifestations — et les *déterminants* : « Les indicateurs se distinguent des déterminants par le fait que nous les considérons comme des conséquences de la motivation, alors que les déterminants en sont des sources » (p. 73). Nous reviendrons, en conclusion, sur cette distinction qui nous paraît importante pour clarifier le concept de motivation.

L'enseignant qui souhaite établir un diagnostic précis de la motivation de l'élève devra donc observer les manifestations de l'attitude motivée, mais également prendre du temps pour rencontrer l'enfant et mener un entretien avec lui. Viau (1997) propose, par exemple, de poser les questions suivantes à l'élève : Connais-tu des gens qui aiment l'école ? Et toi, aimes-tu l'école ? Quelle importance accordes-tu à ce cours ? Est-ce qu'il t'arrive de penser que tu ne seras pas capable de réaliser cette tâche ? Quelle est ta réaction quand tu reçois une bonne/ mauvaise note ? etc.

Nous retrouverons dans ce chapitre la plupart des éléments développés au chapitre 5 (« Les difficultés de motivation : comment elles s'expriment ? »). Nous avons également colligé nombre de propositions glanées dans la littérature consultée :

L'élève nous montrera qu'il est motivé ou non par les comportements suivants (**ce qu'il fait**) :

Il nous montrera qu'**il est motivé si**…

- Il écoute en classe (par exemple, réagit tout de suite à une question posée ou à une consigne ; ne manifeste aucun écart d'attention (analyse des facteurs de distractibilité) ; garde le contact visuel avec l'enseignant, etc.).

- Il participe à la vie de la classe (en posant des questions ou en intervenant régulièrement, par exemple).

- Il apporte des objets en classe en rapport avec la leçon.

- Il travaille de manière autonome.

- Il choisit l'activité.

- Il réagit rapidement à l'activité proposée (temps de réaction pour, par exemple, sortir ses affaires).

- Il persévère dans une tâche malgré la difficulté.

- Il intensifie ses efforts lorsqu'on le complimente.

- Il consacre beaucoup de temps à une activité, en dehors de toute contrainte.

- Il progresse dans l'activité (performance dans une tâche précise).

- Il manifeste un bon niveau d'activité (vitesse de lecture, temps de travail, vitesse de résolution de problème, etc.).

- Il fait plus que ce qui est demandé.

- Il reproduit l'attitude souhaitée à l'extérieur de la classe (à la maison par exemple).

- …

Il nous montrera qu'**il n'est pas motivé si**...

- Il refuse d'effectuer le travail.
- Il évite les tâches nouvelles.
- Il se satisfait d'un résultat médiocre.
- Il travaille très lentement.
- Il travaille très rapidement, mais de façon bâclée.
- Il interrompt souvent son activité.
- Il remet son travail à plus tard (procrastination).
- Il saute d'une activité à l'autre sans finir ce qu'il a commencé.
- Il ne termine jamais ses travaux.
- Il demande constamment de l'aide à l'extérieur.
- Il a toujours besoin d'être encouragé.
- Il ne prête pas attention aux conseils de l'adulte.
- Il feint de ne pas comprendre ce qu'il faut faire.
- Il évite tout contact oculaire avec l'enseignant dans l'espoir de passer inaperçu.
- Il invente des excuses pour se dispenser de travailler.
- Il perd ou oublie son matériel scolaire.
- Il gère mal le temps de travail scolaire à la maison.
- Il cache ses notes.
- Il présente des résultats en dents de scie.
- Il est facilement distrait par un bruit, par les autres élèves, etc.
- Il est incapable de choisir entre deux activités proposées.
- Il s'isole (« fait le mort »).
- Il attend passivement.
- Il regarde ailleurs ou il rêve.
- Il est toujours triste ou pleure souvent.
- Il s'absente (réellement ou psychologiquement).
- Il dérange (« fait le fou »).
- Il pose des questions sans rapport avec l'activité en cours.
- Il fait des remarques hors propos.
- Il manifeste une tendance réactionnelle positive (recherche constamment aide et attention auprès de l'adulte).
- Il manifeste une tendance réactionnelle négative (crainte, méfiance, refus de l'interaction).

– Il exprime son inattention par des réactions physiologiques ou une posture physique (hésitations, maladresses, rougeurs, soupirs, musculature atone ou tendue, respiration profonde ou rapide, endormissement, etc.).

– ...

L'élève nous montrera qu'il est motivé ou non en exprimant les éléments suivants (**ce qu'il dit**) :

Il nous montrera qu'**il est motivé si**...

– Il exprime spontanément son intérêt lors d'une activité.

– Il réclame une activité.

– Il dit qu'il est doué pour cette activité.

– Il pense que les difficultés rencontrées sont surmontables.

– Il manifeste une bonne « clarté cognitive » en ce qui concerne l'activité proposée (être au clair avec ce qu'il convient de faire : but, stratégies, méthodes, exigences, etc.).

– Il a appris de nombreuses informations au sujet de l'attitude à adopter.

– Il est capable de donner du sens à l'activité proposée (T-1 : avant de la réaliser).

– Il peut expliciter ses stratégies d'apprentissage.

– Il exprime sa satisfaction lorsque l'exercice est bien réalisé.

– Il pose de nombreuses questions qui dépassent la matière enseignée.

– ...

Il nous montrera qu'**il n'est pas motivé si**...

– Il exprime explicitement son manque d'intérêt pour la matière abordée.

– Il attribue sa réussite ou son échec à des facteurs internes ou externes qui ne sont pas sous son pouvoir.

– Il exprime son incapacité à effectuer la tâche.

– Il se considère comme manquant d'intelligence.

– Il annonce des notes qui ne sont pas réelles.

– ...

Comme nous l'avons déjà dit, il est impossible d'observer directement une attitude, c'est pourquoi la liste des manifestations de la motivation que nous venons d'établir est indispensable à l'évaluation de l'élève. Elle permet, en choisissant les items les plus représentatifs, de mesurer indirectement l'évolution de l'attitude chez l'élève.

3

LES MÉTHODES D'OBSERVATION

Nous abordons maintenant plus précisément les différentes méthodes d'observation — de manière très sommaire — ainsi que les consignes à respecter lors de l'observation. Nous présenterons ensuite les instruments à disposition permettant de réaliser concrètement ces observations. Nous donnerons enfin quelques conseils sur la préparation des instruments.

On peut distinguer principalement cinq méthodes d'observation :

1. **L'observation dans le milieu naturel** qui peut consister en un enregistrement continu (description continue de tout ce qui se passe), un enregistrement par fréquence (fréquence d'apparition du comportement dans un temps déterminé) ou une mesure par intervalles de temps (on découpe la durée d'observation en courts intervalles et on note une et une seule fois l'apparition ou non du comportement).

2. **L'observation en produits permanents**, par exemple grâce à la vidéo, est adaptée lorsqu'une observation directe est impossible.

3. **L'observation dans des conditions aménagées** : elle consiste à aménager une situation qui facilite l'émission du comportement.

4. **L'entretien** : elle doit se réaliser à partir d'un cadre précis et ne consiste donc pas en une discussion à bâtons rompus.

5. **L'observation dans une situation de jeu de rôle** : elle permet d'évaluer un comportement difficile à observer dans le milieu naturel.

L'observation est un exercice difficile. Entre le désir de tout observer et la crainte de ne rien voir, l'observateur fera bien de respecter quelques consignes élémentaires. Nous en retenons quelques-unes que Morissette et Gingras présentent dans leur ouvrage :

– S'intégrer dans le milieu naturel de la classe pour effectuer son évaluation et veiller à ne point troubler le fonctionnement normal de la classe.

– Diriger son attention sur un phénomène bien défini.

– Ne consigner que les faits et non leur interprétation.

– Se servir d'instruments susceptibles de favoriser une observation structurée.

Précisons également que l'observation peut se réaliser par plusieurs personnes différentes (dont l'élève lui-même) et que l'entretien peut bien entendu concerner l'élève, mais également ses pairs, ses parents, d'autres enseignants, etc. Nous avons d'ailleurs déjà signalé plus haut l'intérêt de multiplier les sources d'information lorsque l'on évalue une attitude.

4

LES INSTRUMENTS D'ÉVALUATION

Ces différentes méthodes se réalisent à l'aide d'instruments d'évaluation. Ici également, on distingue plusieurs types de supports :

- **La liste de vérification** : ses possibilités sont limitées ; elle contient simplement une liste des manifestations de l'attitude.

- **Le questionnaire à réponses multiples** : le plus souvent binaire (absence-présence du comportement) ou à plusieurs alternatives.

- **L'échelle d'appréciation** : elle fournit des choix, comme, par exemple, « toujours, parfois, jamais ».

- **La grille d'intérêts** : elle est présentée au sujet qui doit établir des choix au sein de paires d'activités ou classer celles-ci par ordre de préférence.

- **Le différenciateur sémantique** : également administré à l'élève, il comprend une liste de paires d'adjectifs antonymes bipolaires (par exemple : lent/rapide ; distrait/concentré) ; l'élève pointe le degré de l'échelle placée entre les deux pôles.

- D'**autres instruments** moins connus : le dossier anecdotique, le relevé de participation, l'enregistrement des réactions physiologiques ; des supports à l'entretien comme le questionnaire à réponses construites ou choisies, le journal, etc.

Nous ne décrivons pas plus précisément ces différents instruments qui sont pour la plupart présentés clairement dans l'ouvrage de Morissette et Gingras (1989).

5

CONSEILS SUR LA PRÉPARATION DES INSTRUMENTS

La préparation des instruments et l'élaboration des items ou des questions doivent répondre à certaines exigences minimales. Les conseils présentés maintenant devraient favoriser la construction d'instruments crédibles :

- Rédiger dans un premier temps une liste de manifestations favorables ou défavorables à l'objet étudié (c'est ce que nous avons fait dans ce chapitre), puis choisir les énoncés les plus représentatifs.

- Choisir le type de réponse souhaité : choix multiples ou questions ouvertes (qui permettent de mieux nuancer les impressions).

- Avec des jeunes enfants ou des enfants souffrant d'un retard mental, utiliser des choix de réponses simples, si possible des dessins.

- Soigner la formulation de la consigne : préciser l'objectif, la façon de répondre et ajouter, si nécessaire, un exemple.

- Après avoir préparé l'instrument, critiquer les items en posant les questions suivantes :

    a) Y a-t-il une seule idée par item ?

    b) Y a-t-il une façon plus simple de dire la même chose ?

    c) La question est-elle ambiguë (mots trop difficiles, question posée négativement ou induisant une réponse, etc.) ?

    d) L'ensemble des items se rapporte-t-il à une seule et même attitude ?

Dans ce chapitre 6, nous avons présenté les moyens de construire des outils d'évaluation de la motivation qui nous permettront, dans notre projet, de mieux comprendre la situation de l'enfant et de cerner son profil motivationnel.

Nous pouvons maintenant, pour le dernier chapitre de la première partie de cet ouvrage, mentionner avec Mager (1990) quelques « conditions contraires » à la motivation : les propositions qui suivront dans la seconde partie n'en seront que mieux accueillies...

La motivation : conditions contraires

Pour Mager (1990), une condition contraire est « tout événement qui provoque une gêne physique ou mentale ». Pour lui, travailler sur ces conditions est un préalable nécessaire à toute motivation. Il distingue principalement six catégories de « conditions contraires » :

1. **La douleur**
   - Faire preuve de violence physique à l'égard des élèves.
   - Pour l'élève, pâtir d'une ouïe ou d'une vue déficiente.

2. **La peur et l'angoisse**
   - Dire à l'élève, explicitement ou implicitement, qu'il n'aura jamais de succès quels que soient ses efforts.
   - Menacer l'élève d'exposer son « ignorance » en le forçant à résoudre un problème au tableau, devant toute la classe.
   - Être incohérent dans l'estimation du niveau de performance désiré.

3. **La frustration**
   - Présenter une information que l'élève ne peut assimiler (parce que trop globale, trop difficile, trop rapidement présentée...).
   - Garder secret le but de l'enseignement ou la façon dont la performance sera évaluée.
   - Enseigner certaines choses et en évaluer d'autres à l'examen !
   - Obliger tous les élèves à progresser au même rythme.
   - Donner tardivement les résultats d'une interrogation.

4. **L'humiliation et l'embarras**
   - Rabaisser l'amour-propre d'un individu.
   - Faire échouer fréquemment ses élèves.
   - Comparer les performances d'un élève à d'autres élèves plus doués, plutôt qu'aux siennes propres.

- Réprimander un élève qui s'agite frénétiquement... parce qu'il est motivé et désire s'exprimer.
- Utiliser la matière étudiée comme punition (avec le risque, pour l'enfant, d'associer l'apprentissage de cette matière à une punition...).

5. **L'ennui**

- Contraindre un élève à assister à un cours qui traite d'un sujet déjà connu.
- Présenter des problèmes qui n'offrent aucun défi et ne représentent aucun effort.
- Présenter le cours d'une seule et même façon.

6. **L'inconfort physique**

- Exiger de l'élève une passivité physique pendant une longue période.
- Insister pour que l'élève soit attentif tout de suite après un repas.

Ces six catégories de « conditions contraires » peuvent aisément se convertir en « conditions positives » : il suffit simplement de les formuler... positivement (l'humiliation devenant la valorisation et l'ennui, la passion) !

DEUXIÈME PARTIE

LE PROJET PÉDAGOGIQUE

CHAPITRE

8

Présentation de l'élève

La deuxième partie de l'ouvrage sera consacrée à la présentation d'une situation vécue, celle de Timothée. Les renvois fréquents à la première partie du livre permettront au lecteur de comprendre l'enjeu théorique des dispositifs proposés et de relire éventuellement les chapitres correspondants.

Timothée est un élève en difficulté d'apprentissage, signalé à l'enseignant d'appui [1] par l'enseignante titulaire de classe pour des difficultés motivationnelles importantes. La description qui suit présente le travail que l'enseignant spécialisé a effectué avec tous les partenaires de la situation éducative [2].

Après avoir présenté l'enfant, nous verrons quelles évaluations diagnostiques ont été envisagées pour mieux comprendre la problématique de l'élève et envisager les remédiations nécessaires.

Timothée est un élève présentant des difficultés scolaires importantes et un manque de motivation manifeste. Son niveau lui permet néanmoins d'accéder à des compétences lexiques fonctionnelles. Ses difficultés motivationnelles ralentissent par contre considérablement ses progrès.

À travers ce travail orthopédagogique, nous espérons donc aider Timothée à améliorer ses compétences lexiques en favorisant sa motivation pour l'apprentissage de cette branche essentielle. Pour réaliser cet

---

1. L'appui ou soutien pédagogique est, en Suisse, une mesure d'aide individuelle aux élèves en difficultés qui fréquentent une classe régulière. Il se déroule dans un local prévu à cet effet à l'intérieur du bâtiment scolaire. L'élève signalé quitte sa classe, en général deux à quatre fois par semaine, et rejoint l'enseignant spécialisé pour un travail individuel d'une durée de 30 à 45 minutes. Parfois, l'enseignant spécialisé travaille avec de petits groupes de deux à trois élèves. Il peut également intervenir directement dans la salle de classe (cf. P. Vianin (2001) *Contre l'échec scolaire*, Bruxelles, De Boeck, pour une présentation complète de la mesure d'appui pédagogique).
2. La situation présentée dans cet ouvrage est réelle, mais les noms des différents intervenants ont évidemment été modifiés.

objectif ambitieux, nous désirons collaborer avec les enseignantes responsables de la classe et avec la mère de Timothée. Nous essaierons donc de solliciter toutes les ressources disponibles pour aider l'enfant.

1

LA FAMILLE DE TIMOTHÉE

Timothée est un enfant de 9 ans. Il est le benjamin d'une famille de deux enfants. Timothée a une sœur de 13 ans qui est au Cycle d'Orientation [3] et qui est également en difficulté scolaire.

Les parents sont séparés. Une procédure de divorce est amorcée. Les deux enfants vivent avec leur mère, mais ont des contacts réguliers avec leur père avec qui ils entretiennent de bonnes relations. Celui-ci vit dans un village proche de celui de la mère. Il s'est établi avec une nouvelle compagne et travaille de manière indépendante dans une ferme. Timothée parle souvent de son père et de son métier et souhaiterait lui aussi devenir fermier quand il sera grand.

Madame C. est devenue, semble-t-il, plus autonome et a pris de l'assurance depuis la séparation. D'après ce que nous avons pu comprendre lors d'un entretien, elle jouit d'une indépendance financière et assume sans difficulté matérielle sa nouvelle situation. Elle cherche néanmoins du travail pour occuper ses journées.

Comme nous avons pu l'observer, les relations entre les enfants et leur maman sont assez tendues. Timothée et sa sœur se montrent en effet souvent agressifs envers leur mère. La famille est soutenue par un psychologue, Monsieur P., qui avait été contacté par Madame C. au sujet des difficultés relationnelles avec sa fille.

Madame C. cherche également appui et conseils auprès d'une astrologue qu'elle contacte par téléphone et pour qui elle dépense des sommes importantes.

2

PARCOURS SCOLAIRE

Timothée a suivi deux années d'École maternelle. Après une année de première primaire, il est placé en classe spéciale. Il effectue, cette année, sa sixième année de scolarité.

---

3. Le Cycle d'Orientation correspond au collège, en France, et au secondaire, en Belgique et au Québec.

Son parcours scolaire d'élève en difficulté est assez classique. Timothée a déjà derrière lui un important passé d'échecs qui l'a amené d'une structure régulière à une classe spéciale.

Nous pouvons également noter que les parents de Timothée ont vécu eux-mêmes une scolarité difficile. Monsieur C. a notamment effectué une partie de ses classes dans l'enseignement spécialisé.

3

SITUATION SCOLAIRE, DIFFICULTÉS ET RESSOURCES DE L'ENFANT

Actuellement, Timothée a un retard scolaire de 3 ans. Il suit un programme de première primaire en français et de deuxième primaire en mathématiques.

Dans le domaine de la lecture, Timothée peut reconnaître toutes les voyelles et les consonnes, percevoir les différents phonèmes étudiés et lire des petits mots.

L'enfant souffre d'une attention très fragile et d'une motivation faible pour l'école. Ses capacités d'abstraction sont limitées et ses difficultés de raisonnement sont importantes. Il a constamment besoin de la médiation de l'adulte.

C'est un enfant émotif qui souffre beaucoup de la séparation de ses parents.

Timothée exprime rarement ses sentiments de manière explicite, mais semble réagir fortement à toutes les remarques qui lui sont directement adressées. Il fait souvent preuve d'une grande sensibilité.

En classe, c'est un garçon sympathique qui n'a aucune difficulté à être accepté par ses camarades. Il entretient de bons rapports avec les deux enseignantes et avec ses pairs. Il ne perturbe jamais le déroulement de la classe, mais participe peu aux activités proposées.

Lors des tâches écrites, il se fatigue rapidement et termine rarement ses fiches sans aide.

Toutes les personnes interrogées et les rapports consultés soulignent les difficultés de motivation et le manque d'intérêt de l'élève pour le travail scolaire.

Une intervention dans le domaine de la motivation semble donc, *a priori*, se justifier. Poussons néanmoins la réflexion un peu plus loin.

Motiver Timothée :
est-ce bien raisonnable ?

Nous avons déjà souligné dans la première partie l'importance fondamentale de la motivation dans l'apprentissage. Nous compléterons donc ici cette réflexion assez brièvement.

Comme nous l'avons déjà précisé, la motivation peut être qualifiée de « méta-objectif » de l'éducation. Elle correspond en effet à l'objectif nécessaire à la réalisation de tous les autres objectifs et de toutes les autres démarches d'apprentissage.

Morissette et Gingras (1989) classent également les attitudes de motivation dans la catégorie des objectifs « qui favorisent ou même rendent possible l'apprentissage de contenus cognitifs ou psychomoteurs » (p. 32). Pour eux, ces objectifs « sont nécessaires pour réaliser toute démarche d'apprentissage scolaire et, de ce fait, constituent le préalable à toute éducation scolaire » (p. 30).

D'Hainaut (cité par Blanc et Brodard, 1993, p. 12) va encore plus loin en établissant un lien entre les différents processus de motivation et l'avenir même de nos sociétés : « La volonté de progresser, la qualité du travail, la satisfaction à bien faire son travail, le besoin d'organiser les hommes, les choses et les idées sont autant de facteurs qui contribuent, de manière déterminante, à la survie et à la prospérité d'une collectivité ».

Quant à la situation motivationnelle de Timothée, elle est malheureusement très courante quand on connaît le parcours des élèves en difficulté scolaire. Notre expérience en appui nous permet de mieux comprendre le passé d'échecs déjà lourd de ces enfants et leur motivation qui s'éteint progressivement. Comment d'ailleurs ne pas comprendre leur détresse et leur passivité ? Les échecs successifs n'ont, en effet, jamais permis à personne de persévérer dans un effort qui ne paie pas et dont on ne peut pas mesurer l'efficience.

De plus, l'histoire scolaire des parents de Timothée est une histoire de souffrance et de rancœur. Leur propre motivation à confier leur enfant à la *machinerie scolaire* n'a certainement jamais été mature. Encore aujourd'hui, le monde scolaire reste vraisemblablement pour eux déroutant. Les échecs scolaires de leur enfant ont probablement réactivé une souffrance d'autant plus nocive qu'elle est souvent indicible.

Avec Timothée, nous avons choisi de travailler sa motivation dans le domaine de la lecture. Nous pensons en effet que le manque de motivation pour l'école s'exprime, chez cet élève, particulièrement dans l'apprentissage (tellement difficile) de la lecture. Timothée se débat dans les exercices lexiques depuis plus de trois ans. Pourtant, il est actuellement dans une phase d'apprentissage intéressante, puisqu'elle lui permet de passer progressivement de la lecture de mots à celle des phrases. Le moment nous paraît donc particulièrement opportun pour susciter sa motivation dans cet apprentissage et l'aider à s'approprier cette compétence essentielle. Sans cette acquisition fondamentale, les autres branches scolaires souffriront inévitablement des difficultés de lecture de l'élève.

CHAPITRE
10

L'évaluation des ressources et difficultés de Timothée

1

PRÉSENTATION DE L'ÉVALUATION

Les instruments que nous avons préparés pour évaluer la motivation de Timothée en lecture s'inspirent des recommandations que nous avons émises dans la première partie théorique (chapitre 6). Nous avons retenu, comme le suggèrent Morissette et Gingras (1989), deux sources d'information :

- l'observation ;
- les questions posées à l'élève lui-même, aux parents, aux enseignantes, etc.

La construction de ces instruments n'a pas toujours été évidente : les manifestations de la motivation sont tellement nombreuses que des instruments du type « questionnaire à réponses multiples » ou « échelle d'appréciation » se révéleraient trop lourds et, par conséquent, peu maniables. Le nombre d'items nécessaires à une description exhaustive des manifestations rendrait l'instrument inutilisable dans l'observation directe.

Nous choisissons donc — pour observer le comportement de l'élève dans une leçon collective et lors d'une tâche individuelle — de procéder à une évaluation par enregistrement continu (cf. chapitre 6.3). Ce type d'observation rendra l'interprétation plus difficile que si nous avions pu utiliser, par exemple, un questionnaire de type binaire (absence — présence du comportement). Il permet, par contre, de noter tous les comportements intéressants lors de l'observation proprement dite. Il demande, dans un deuxième temps, de procéder à une analyse qui force à retenir uniquement les manifestations pertinentes de l'attitude observée.

Nous avons ensuite prévu d'utiliser la formule du questionnaire pour affiner notre évaluation. Nous aurons ainsi deux entretiens avec l'élève lui-même qui nous permettront de situer le rapport affectif qu'il entretient avec l'écrit et sa conscience de ce que représentent l'apprentissage et l'utilisation des compétences lexiques à l'école et dans la vie.

Nous avons également préparé des questionnaires qui s'adressent aux adultes qui s'occupent quotidiennement de l'élève, à savoir la mère de Timothée et les deux enseignantes qui se partagent la gestion de la classe dans laquelle se trouve Timothée.

Nous procéderons enfin à une évaluation des compétences lexiques de l'élève. Nous pensons en effet qu'un moyen intéressant de contrôler si nous avons réussi à motiver Timothée pour l'apprentissage de la lecture consiste à vérifier les progrès qu'il aura accompli dans ce domaine.

Nous avons eu le souci, lors de la préparation de cette évaluation, de diversifier notre façon de mesurer les manifestations de la motivation. Nous respectons ainsi les recommandations de Morissette et Gingras (cf. chapitre 6.1) qui proposent que l'on se serve « tantôt de ce que l'élève fait, tantôt de ce qu'il dit » et qui suggèrent que l'on profite « tantôt des témoignages de l'élève, tantôt de ceux de ses pairs et de ses parents » (1989, p. 139).

La nécessité de multiplier les évaluations nous paraît évidente dans la mesure d'une attitude : en effet, seuls les recoupements des différentes informations obtenues nous permettront de tirer des conclusions valides. Nous espérons ainsi, par la multiplication d'évaluations complémentaires, mieux cerner la motivation de l'élève et les progrès accomplis dans ce domaine.

Nous consacrons par conséquent beaucoup de temps — et d'énergie ! — à cette évaluation. Nous estimons que cette étape est d'une importance cruciale pour la réalisation de notre projet : des informations obtenues lors de cette évaluation dépendront en effet, et la formulation des objectifs, et la planification de l'ensemble des interventions. Une évaluation interactive continue permettra, lors des interventions, de préciser les premières observations, mais les options principales doivent s'effectuer lors de l'évaluation de départ. Comme le rappellent Morissette et Gingras (1989), « la qualité de cette information de départ est susceptible d'améliorer la qualité de l'intervention ; (...) elle permettra de prendre, au moment de la planification, les décisions les plus appropriées » (p. 134).

2

PRÉSENTATION DES ÉVALUATIONS ET INTERPRÉTATION DES RÉSULTATS

Nous allons commenter maintenant les évaluations effectuées et interpréter les résultats. Nous relatons d'abord les deux observations que nous avons effectuées en classe.

2.1 – Observation de l'élève lors d'une tâche individuelle de lecture (observation dans le milieu naturel, par enregistrement continu)

Cette observation nous a permis d'évaluer le comportement de l'élève dans une tâche individuelle de lecture. Nous avons opté pour une évaluation dans le milieu naturel et par enregistrement continu (cf. chapitre 6.3). Comme le soulignent Morissette et Gingras (1989), « l'observation est sans contredit la technique la plus importante pour apprécier l'évolution d'une attitude ».

Nous avons choisi pour effectuer cette évaluation un instrument simple dans son utilisation. Celui-ci se présente comme un tableau de trois colonnes qui permet de noter l'écoulement du temps (en minutes), les actes et les paroles de l'enseignante et les réactions de l'élève.

Déroulement

Lors de la leçon de lecture, la titulaire de classe propose à Timothée une fiche sur laquelle l'élève doit lire des mots et les écrire ensuite sous le dessin correspondant. L'exercice permet de travailler le son/i/et la lettre « p ».

Nous avons noté tous les comportements de l'enseignante et de l'élève pendant les 35 minutes consacrées à la réalisation de cette tâche. La méthode utilisée correspond à une observation dans le milieu naturel (cf. chapitre 6.3), c'est-à-dire dans la classe, lors d'un cours donné par la titulaire et dans le cadre d'une après-midi normale. Nous avons choisi la technique de l'enregistrement continu pour les raisons évoquées plus haut. Seuls les faits ont été notés et non leur interprétation (cf. chapitre 6.3).

Lors de l'analyse, nous retiendrons les manifestations qui nous semblent représentatives de l'attitude observée. Pour ne pas alourdir le texte, nous ne présentons ici que le début de l'enregistrement (les dix premières minutes).

Temps (en mn)	Ce que dit ou fait l'enseignante	Ce que dit ou fait l'élève
0	Donne les consignes aux autres élèves	Ferme les yeux
1	Appelle N. et T.	Lève la tête
	Donne les consignes à T.	Regarde l'enseignante
	Donne les consignes à N.	Se met un doigt dans le nez
2	S'approche de T., lit la consigne et demande un exemple	Répond « cheval »
3	Lui demande de lire la consigne de l'exercice 3	Lit « je dessine... »
	Aide l'élève et finit de lire	
4	Explique les exercices suivants et fait lire deux mots	Lit « lampe » et « sapin »
		Demande avec quoi écrire
5	Répond, puis part à son bureau	Ne s'intéresse plus à sa fiche, mais : doigt
6		dans le nez, joue avec ses mains, lève la tête 3x,
7		prend son taille-crayons, taille, se baisse, prend
8		son mouchoir, doigt dans le nez, joue avec son crayon,
9		retrousse les manches
10	Se lève de son bureau	Écrit son 1er mot :« sonin »
	Se dirige vers le premier banc	Doigt dans le nez ; lève la tête et observe l'enseignante

Résultats et interprétation

Nous avons été surpris par la richesse de l'observation. Ce ne sont pas, en effet, les instruments les plus sophistiqués qui permettent les évaluations les plus intéressantes (cf. chapitre 6.1).

L'élément le plus frappant est certainement le jeu qui s'établit entre les comportements de l'enseignante et les réactions de l'élève à ces comportements. On pourrait parler d'un véritable « ballet » où les deux danseurs anticipent les mouvements de leur cavalier et dessinent, en miroir, une chorégraphie savante : chaque fois que l'enseignante se lève de son bureau ou se dirige vers un banc, l'élève se penche sur sa feuille ou saisit son crayon. À l'inverse, dès que l'enseignante s'occupe d'un autre élève ou corrige une fiche, Timothée abandonne son activité.

Une analyse plus fine nous permet d'apprécier la richesse de la pantomime. À partir de la cinquième minute (où l'enseignante s'assied à son bureau), l'élève renonce à poursuivre sa tâche. Il n'avancera plus dans son travail jusqu'à la dixième minute. À ce moment-là, l'enseignante se lève et l'élève — en réponse — écrit un mot sur sa fiche. Madame R. se dirige ensuite vers un autre banc : ouf ! le danger s'éloigne... L'élève peut replonger dans les profondeurs narines de son appendice et vaquer derechef à ses activités fouisseuses. Mais ses occupations hédonistiques seront bientôt interrompues à nouveau. Le tourment guette : l'enseignante se trouve maintenant au banc voisin ! Il s'agit donc de feindre l'affairement le plus empressé. L'histrion lève alors le doigt — qu'il éloigne momentanément de ses occupations supérieures — et hèle l'enseignante. Comme elle ne peut répondre tout de suite à la sollicitation, il se résigne et, pour assumer son rôle jusqu'au bout, écrit un mot !

Le numéro se poursuit ensuite à partir de la vingtième minute : après avoir reçu l'explication factice demandée, l'élève ne travaillera plus jusqu'au moment où, de plus en plus fréquemment, l'enseignante se dirigera vers lui et relancera l'activité.

Nous avons la très forte impression de nous trouver face à un spécimen particulièrement représentatif de ce que Rollet avait désigné sous le terme « d'éviteur d'effort » (cf. chapitre 5.2).

Après ce premier constat assez éloquent, nous avons essayé de chiffrer ces manifestations du manque de motivation. Nous avons relevé les éléments les plus représentatifs :

- l'élève abandonne sa fiche et lève la tête   : 7 fois
- l'élève regarde l'enseignante ou les autres élèves   : 3 fois
- l'élève se ramone consciencieusement l'appendice   : 6 fois
- l'élève joue (avec ses cheveux, le crayon, etc.)   : 16 fois
- l'élève attend passivement ou rêve   : 7 fois

Le total de ces manifestations du manque de motivation s'élève à 39. C'est énorme ! Pourtant, nous ne considérons pas dans ce décompte les nombreuses fois où l'élève, penché sur sa fiche, paraissait lire ou réfléchir, mais n'écrivait jamais rien !

Nous avons également estimé le temps de travail effectif de l'élève :

- Durée totale de l'observation   : 35 minutes
- Temps de travail effectué seul   : 4 minutes (environ)
- Temps de travail effectué avec l'aide de l'enseignante   : 5 minutes (environ)
- Temps de travail effectif (total)   : 9 minutes (environ)

Timothée a donc travaillé seulement pendant les 26 % du temps total. De plus, une partie de son temps de travail s'est déroulé sous la surveillance et les encouragements de l'enseignante. Seuls les 11 % du temps total ont été effectivement utilisés par l'élève de son propre gré. Sur ces 11 % (~4 mn), il consacre plus de 2 minutes à la réalisation du dessin de l'exercice 3. Le temps consacré par l'élève à la lecture elle-même se réduit ainsi à moins de 2 minutes sur les 35 minutes consacrées à l'activité.

Si nous observons maintenant la fiche elle-même, nous constatons qu'elle n'est pas terminée et que plusieurs erreurs subsistent, et ce, malgré l'aide apportée à de nombreuses reprises par l'enseignante. L'élève semble néanmoins capable de reconnaître le son/i/et lire des mots simples.

Nous avons présenté l'observation effectuée à la titulaire de classe. Sa réaction surprise a confirmé l'importance et la nécessité d'effectuer une évaluation instrumentée : Madame R. ne se rendait absolument pas compte de la gravité de la situation. Cette observation lui a permis de prendre conscience de l'attitude négative de Timothée lors des tâches écrites. Elle a réalisé alors que les objectifs fixés avec Timothée étaient certainement insuffisants et que nous pouvions assurément exiger davantage de cet élève. Si notre projet s'arrêtait ici, nous aurions déjà permis à l'enseignante de reconsidérer le niveau d'aspiration et d'expectation qu'elle avait déterminé pour cet élève !

2.2 – Observation de l'élève lors d'une leçon collective de lecture (observation dans le milieu naturel, par enregistrement continu)

La deuxième évaluation s'est faite également dans le cadre naturel de la classe. Madame R. a présenté la lettre « c » et insisté sur les deux sons/k/et/s/correspondant à la lettre étudiée.

La leçon se déroule en quatre phases : présentation collective de la lettre « c » et étude des sons ; première application individuelle ; reprise du cours collectif et présentation d'un tableau dans lequel les élèves doivent classer des mots ; deuxième application individuelle.

Cette observation nous a permis d'évaluer la motivation de l'élève lors d'un cours donné collectivement. Nous désirions en effet vérifier si Timothée manque de motivation uniquement dans les tâches individuelles ou si sa difficulté est plus globale et affecte également sa concentration lors des leçons collectives. Nous avons pu, de plus, observer une nouvelle fois l'élève en situation de tâche individuelle puisque l'enseignante avait prévu deux moments d'application pendant le cours.

Pour cette observation, nous avons également retenu la technique de l'enregistrement continu (cf. chapitre 6.3) qui nous a donné entièrement satisfaction lors de la première évaluation. Nous ne présentons que les dix premières minutes de l'enregistrement.

Temps (en mn)	Ce que dit ou fait l'enseignate	Ce que dit ou fait l'élève
0	Annonce le début du cours de lecture	Regarde l'enseignante
1	Présente 2 mots au rétro	Idem
	Interroge les élèves	Idem
2	Demande à T. s'il sait pourquoi« cerise » se prononce /s/	Répond « non »
	Explique	
3	Présente un nouveau mot	Regarde ailleurs
	Demande à A. s'il a trouvé	Regarde A.
4	Présente le mot « bocal » et demande à T. de lire le mot	Déchiffre « d-o-c-a-l »
	« Est-ce que c'est bien ça ? »	Lit « bocal »
5	Présente « balance » et « cigarette »	Rêve
	Analyse les mots avec les élèves	Rêve
6	Appelle T. au rétroprojecteur	Réagit tout de suite et se lève
	« Quel mot avais-tu lu avant ? »	Ne se souvient plus
	Insiste	Trouve le dessin et le mot Retourne à sa place.
7	Appelle d'autres élèves au rétro	Commente à voix haute :
		« maintenant c'est à A.,
		puis à F...
8	« N., assieds-toi ; T. ne voit rien »	... S., c'est la dernière »
	Pose une question aux élèves	Aucune réaction de la part de T.
9	Présente la règle de lecture	Lit à voix haute « ci, ce »
10	Demande quel son on entend	Répond : « égal » (=)
	Souligne la difficulté	Regarde dans le vague

Résultats et interprétation

Nous allons tenter maintenant d'interpréter cette observation de l'attitude de l'élève pendant une leçon collective. Dans cette analyse, nous distinguerons d'une part l'attitude de l'élève pendant la leçon elle-même — c'est-à-dire quand l'enseignante se trouve au tableau et donne son cours à l'ensemble de la classe — et d'autre part son attitude pendant la réalisation des fiches d'application (tâche individuelle).

LORS DE LA LEÇON COLLECTIVE :

Une première lecture de l'observation pourrait laisser supposer que Timothée participe au cours de façon relativement suivie. Il intervient en effet à plusieurs reprises et réagit toujours rapidement aux sollicitations de l'enseignante.

Pourtant, une analyse plus fine révèle des comportements subtils d'évitement d'effort. Par exemple, il ne réagit, de sa propre initiative, qu'à la neuvième minute du cours. À la dixième minute, il regarde de nouveau ailleurs. Ensuite, Timothée ne lève presque jamais la main, alors que les autres élèves de la classe participent activement au cours. Le contraste est particulièrement évident au début de la leçon : Timothée ne lève pas la main pendant les dix-huit premières minutes. Il se manifestera seulement à la dix-neuvième minute, soit trois minutes avant la première fiche d'application.

Un élément intéressant intervient à la septième minute où N. se lève et cache ainsi la vue à Timothée qui se trouve juste derrière lui. Après environ une minute, l'enseignante remarque N. et intervient pour lui demander de s'asseoir : Timothée ne s'était aperçu de rien !

Mais l'élément le plus troublant est certainement la faculté que l'élève a développée de ne donner que des réponses qui lui permettent de ne pas s'engager cognitivement dans la tâche. Timothée formule en effet souvent des réponses passe-partout qui obligent l'enseignante à préciser la question et à donner finalement elle-même la réponse à l'élève ! Ce phénomène apparaît à de nombreuses reprises. Les variantes sont nombreuses : Timothée répond parfois de façon binaire (oui ou non ;/k/ou/s/), ce qui lui permet de réagir correctement une fois sur deux. Souvent, il copie les réponses des autres élèves, soit par le geste, soit par la parole. D'autres fois, il dit ne pas se souvenir ou ne pas avoir compris. Parfois enfin, il ne réagit tout simplement pas, obligeant ainsi l'enseignante à préciser sa question et à retomber dans des questions fermées qui permettent à l'élève de tenter une nouvelle fois sa chance entre le « oui » et le « non » !

L'exemple de la trente-sixième minute est peut-être le plus représentatif : l'enseignante demande à Timothée de lire un mot au rétro ; l'élève lit/k/erise ; l'enseignante demande alors si le mot est bien lu (question fermée) ; Timothée répond que non (la formulation de la question induisait une réponse négative et l'élève, spécialisé dans ce type d'interprétation, ne déçoit pas l'enseignante...) ; Madame R. demande alors s'il faut lire kerise ou cerise et Timothée donne évidemment la seule réponse possible. L'élève a donc fourni à l'enseignante les réponses attendues et, par là même, l'illusion d'un effort cognitif important !

Quelques chiffres enfin vont nous permettre de confirmer le manque de motivation de l'élève. Deux attitudes principales ressortent lors de la phase de leçon collective :

- l'élève regarde ailleurs ou rêve   : 6 fois
- l'élève s'intéresse à des détails d'organisation du cours (min. 7, 10 et 35)   : 3 fois

Le nombre de manifestations du manque de motivation est cette fois bien moins important que lors de l'évaluation en tâche individuelle. Notre hypothèse à ce sujet est la suivante : Timothée connaît parfaitement son rôle d'éviteur d'effort — il vient d'ailleurs de nous le prouver brillamment ! — et sait très bien qu'en situation collective l'enseignante peut à tout instant le surprendre. Ses stratégies sont par conséquent plus fines et échappent plus facilement à l'observation. Il est capable, par exemple, de réagir tout de suite lorsque l'enseignante l'interpelle alors que, manifestement, il n'a pas suivi son explication (minutes 4 et 6). Il a, selon nous, développé la même capacité que le chauffeur qui, tout en rêvant aux vacances prochaines, conduit correctement et freine au bon moment !

LORS DES TÂCHES INDIVIDUELLES :

Alors que les manifestations en leçon collective se font plus discrètes, elles s'expriment sans retenue aucune lors de la réalisation des tâches individuelles — ce qui prouve que Timothée n'a pas compris qu'un œil attentif, mais discret (le nôtre), observait tous ses faits et gestes (nous avons pu ainsi respecter la consigne qui demandait de nous intégrer dans le milieu naturel sans en troubler le fonctionnement : cf. chapitre 6.3).

Nous soulignons donc simplement que les observations effectuées lors de la première évaluation se confirment tout à fait lors des tâches individuelles de la deuxième évaluation.

Nous retiendrons seulement le détail de la minute 46 où l'enseignante constate que la deuxième fiche d'application est trop difficile pour Timothée et lui rend la première feuille en lui demandant de la terminer. L'élève travaille alors pendant trois minutes sans lever la tête. Nous pensons que l'élève, découragé par les difficultés trop importantes de la deuxième fiche, retrouve dans la première feuille une activité à son niveau et se plonge alors avec satisfaction dans sa réalisation. L'enseignante lui a permis ainsi de s'investir dans une tâche à sa portée. Nous avons souligné dans le cadre théorique l'importance de donner à l'élève des activités à son niveau (cf. chapitre 3, composante 3).

2.3 – Le questionnaire d'attitudes (cf. annexe 1)

Après les deux évaluations par observation en milieu naturel, nous avons eu deux entretiens avec l'élève. La première discussion, que nous présentons maintenant, nous a permis de mieux comprendre le rapport affectif que Timothée entretient avec la lecture. Le support utilisé ici (cf. annexe 1) est le questionnaire d'attitudes de Giasson et Thériault (1983, p. 278) que nous avons adapté au niveau et à la situation particulière de l'élève.

Lors de l'entretien, nous avons lu les consignes pour l'élève et nous avons souvent proposé un exemple lui permettant de bien comprendre la donnée. Les grimaces de Timothée nous ont assuré de la bonne compréhension des items !

Résultats et interprétation

Le constat est éloquent : Timothée n'aime pas lire et trouve l'apprentissage de la lecture ingrat ; il n'aime ni préparer sa lecture, ni lire à haute voix et a une très mauvaise image de lui en tant que lecteur. Dans ces conditions, il ne souhaite évidemment pas recevoir un livre en cadeau. Il semble par contre conscient de ses difficultés.

Il apprécie néanmoins les histoires quand elles sont lues par l'enseignante. Il rejette donc, selon nous, la lecture en tant qu'exercice laborieux de déchiffrement (items 3 à 8), mais prend du plaisir à entendre des histoires lues. Nous avons peut-être ici un point d'entrée dans la lecture pour Timothée. Cette hypothèse se confirme avec l'item 9 où l'élève admet que ses camarades peuvent prendre du plaisir à lire. Les exemples qu'il rencontre dans la classe pourront éventuellement servir de modèle pour l'élève.

Les items 10 et 11 nous montrent que l'image que Timothée-lecteur donne à ses camarades et à ses enseignantes est ressentie comme mauvaise. L'élève connaît donc ses difficultés de déchiffrement et suppose que celles-ci indisposent ceux qui l'écoutent lire.

Timothée apportera un commentaire intéressant aux deux dernières affirmations. Lors de la lecture de l'item 12, il précise que, quand il sera grand, il voudra être « fermier comme son papa » et que « les fermiers, ils doivent pas lire ». Nous pouvons voir dans cette dernière affirmation la mauvaise perception qu'a l'élève de la valeur de la tâche (cf. chapitre 4.4.3). Un travail semble donc indispensable à ce niveau si nous voulons motiver Timothée lors de nos interventions.

À l'item 13, l'élève hésite longtemps et finit par choisir la « tête » neutre. Nous émettons l'hypothèse que la situation décrite (« quand ma maman me lit une histoire ») ne correspond pas à la réalité quotidienne de Timothée. L'image de la maman, souriante, reposée et disponible, lisant l'histoire passionnante de Christophe Colomb à son enfant blotti dans ses bras et regardant sa mère de ses grands yeux bleus et attentifs, dans un décor de feu de cheminée et d'intérieur cossu, est une image bourgeoise de la famille idéale qu'on ne retrouve que dans les « Martine » ou... dans les familles idéales ! Dans la grande majorité des familles de milieu défavorisé — qui constituent une part importante des enfants en difficulté — les parents doivent travailler tous les deux ou sont séparés et la mère trime plus de dix heures par jour pour nourrir ses enfants qu'elle rejoint tard le soir et qu'elle retrouve assis devant la télévision, mangeant un repas tiède réchauffé à la hâte par la fille aînée qui a tout juste dix ans...

Nous avons essayé de ne pas oublier cette description — à peine caricaturale — de la situation de nombreux enfants, lors de notre entretien avec la mère de Timothée. Nous avons pu ainsi lui proposer des pistes de réflexion adaptées à son contexte et non des suggestions qui lui auraient sinon paru éthérées et nébuleuses.

2.4 – Le questionnaire de conception et de perception (cf. annexe 2)

Dans le deuxième entretien que nous avons eu avec l'élève (cf. annexe 2), nous avons voulu mieux comprendre la conception que Timothée se fait de la lecture en tant qu'outil fonctionnel et la conscience qu'il a de ses compétences dans ce domaine.

Plus précisément, les questions 1, 10, 11, 12 et 14 concernent l'élève lui-même, ce qu'il sait de ses compétences et comment il pourrait les améliorer. Les items 2 à 7 et 13 évaluent plutôt la conscience qu'il a de l'acte lexique, les définitions et les fonctions qu'il attribue à la lecture, ainsi que la valeur qu'il donne à son apprentissage. Le phénomène de l'attribution causale est abordé enfin aux items 8 et 9. Ceux-ci nous ont permis d'évaluer si Timothée pensait avoir du pouvoir sur son apprentissage ou si, au contraire, celui-ci semblait dépendre de facteurs incontrôlables.

Nous nous situons donc, avec ce questionnaire, dans une approche cognitive de l'apprentissage. À travers les différents items, nous abordons trois aspects importants de la motivation que nous avions relevés dans la première partie de l'ouvrage : la perception de la valeur de la tâche, la perception des exigences de la tâche et la perception de la contrôlabilité de la tâche (cf. chapitres 4.4.3, 4.4.4 et 4.4.5).

Concrètement, nous avons eu deux entretiens de 20 minutes avec Timothée pour aborder les quatorze questions. Nous avons lu les consignes pour l'élève et nous avons souvent donné des exemples concrets pour lui permettre de bien comprendre les questions. Nous avons relevé ses réponses directement sur le questionnaire et noté les éventuelles remarques complémentaires sur une feuille annexe.

Résultats et interprétation

Le résultat le plus intéressant de cette évaluation ne réside pas, étonnamment, dans les réponses apportées par Timothée aux questions posées, mais dans le comportement de l'élève lors de l'entretien.

Timothée a eu, en effet, beaucoup de difficulté à « entrer » dans la réflexion proposée. Il s'est installé progressivement entre l'élève et nous-même un sentiment de malaise, de non-compréhension de l'enjeu. Nous tâchions de ramener constamment l'élève à une analyse de sa propre cognition, mais celui-ci semblait incapable de saisir ce que nous attendions de lui. Il faut souligner, en fait, que le questionnaire exigeait une réflexion de niveau « méta » où l'enfant devait prendre de la distance par rapport à son propre fonctionnement et analyser avec du recul son système de perception et de conception.

Cette évaluation nous a donc apporté une précieuse information sur les capacités d'abstraction de l'élève. Nous tâcherons donc, lors de nos interventions, de nous adapter aux capacités intellectuelles de l'élève. Nous éviterons ainsi de proposer à Timothée des démarches métacognitives trop élaborées et nous tâcherons d'expliciter toujours le sens de nos interventions en des termes simples et faisant toujours référence à des situations concrètes.

Nous avons à ce propos constaté souvent dans notre pratique d'enseignant d'appui que cette capacité à entrer dans une réflexion métacognitive était un indicateur important des capacités d'abstraction de l'élève. Le potentiel d'apprentissage de l'enfant nous semble directement lié à cette compétence essentielle.

Si nous analysons maintenant les réponses de l'élève au questionnaire, nous pouvons retenir plusieurs indications importantes.

Tout d'abord, il semble que Timothée néglige les supports de lecture autres que le livre (question 4 et commentaire oral de la question 7 où l'élève cite uniquement le livre comme support, dans les trois « occasions » mentionnées). Or, pour cet élève, l'accès à la lecture nous semble important pour comprendre de nombreux messages écrits courants comme, par exemple, le programme de la télévision, les affiches, les publicités, les noms des rues, etc. En ne retenant que la lecture des livres, Timothée ne saisit peut-être pas la valeur de la tâche et les retombées sociales importantes de son apprentissage. Il s'agira donc de faire comprendre à l'élève que l'acquisition de cette compétence donne accès à de nombreuses informations essentielles dans notre société. Nous craignons, en effet, que la perspective de pouvoir un jour se plonger dans la lecture de « Guerre et Paix » ne soit pas une motivation suffisante pour aider Timothée à s'approprier les compétences lexiques !

Timothée semble ensuite privilégier la technique de déchiffrement à la compréhension (questions 3 et 10). Nous devrons par conséquent clarifier également en quoi consiste l'acte lexique et insister sur l'accès au sens. La motivation ne peut pas naître d'un laborieux exercice de déchiffrement. Seule la compréhension de ce qui est lu est susceptible de motiver l'élève à progresser dans la lecture.

L'élève semble donner beaucoup d'importance aux images dans les livres (questions 2 et 6). Les dessins semblent être pour Timothée une source d'informations importante. Nous pourrons éventuellement montrer à l'enfant, lors des interventions, le rôle complémentaire que les images et les textes jouent dans la lecture. Nous avons ici également une entrée possible dans la lecture pour Timothée.

Relevons enfin une réflexion intéressante : Timothée pense qu'il est important de savoir lire pour « passer son permis de vélomoteur, comme ma sœur » (question 5). Il trouve là un exemple intéressant d'une retombée sociale de l'apprentissage de la lecture.

2.5 – L'échelle d'appréciation de l'attitude (cf. annexe 3)

Lors des deux premières évaluations, nous avons pu observer Timothée dans son milieu naturel et évaluer sa motivation pendant une leçon de lecture et lors d'une tâche écrite. Nous avons ensuite recueilli des informations auprès de l'élève lui-même. Il nous semblait important de questionner également les deux enseignantes qui connaissent Timothée depuis plusieurs mois.

Nous avons à cet effet élaboré une échelle d'appréciation de l'attitude (cf. annexe 3) que les enseignantes ont complétée séparément, après une observation de deux semaines. Ce délai devait leur permettre de vérifier éventuellement la pertinence de leur appréciation par une observation plus poussée de certains aspects abordés dans le questionnaire.

L'échelle se divise en trois parties : les premiers items traitent de la motivation de l'élève pendant une leçon collective de lecture ; ensuite, l'analyse concerne plutôt la réalisation d'une tâche individuelle ; enfin, la dernière partie renvoie à l'attitude générale de l'élève face au livre et à la lecture.

Résultats et interprétation

Madame R. (échelle 1) et Madame S. (échelle 2) donnent pratiquement la même appréciation de l'attitude de Timothée. Les grilles sont pratiquement superposables. Les résultats de l'évaluation confirment globalement nos propres observations. Nous pourrons donc tirer un bilan assez précis — et convergent — de l'attitude motivationnelle de Timothée en classe, lors de la présentation synthétique des résultats (cf. chapitre 10.2.9).

Les premières réponses (1 à 5) confirment l'attention très diffuse de l'élève lors des leçons collectives de lecture. La question 1 exige un commentaire particulier : Madame S. estime que Timothée est « rarement attentif » lors des leçons collectives de lecture et Madame R. trouve, au contraire, qu'il est « souvent attentif ». Nous devons préciser ici que Madame S. avait déjà pris connaissance des résultats de nos premières observations lorsqu'elle a reçu le questionnaire et a sans doute été influencée dans sa réflexion par nos propres conclusions. Cet élément explique peut-être cette différence étonnante. Dans les autres réponses, par contre, les deux enseignantes se retrouvent dans leur appréciation.

Les réponses aux items suivants (« lors d'une tâche individuelle ») correspondent tout à fait à nos propres évaluations. Si l'on compare les deux échelles, on constate qu'elles ne varient jamais de plus d'un degré. De nombreuses manifestations du manque de motivation apparaissent ici : rythme de travail lent, manque de persévérance et d'autonomie, passivité, etc. Il ressort également que Timothée est plutôt du type « fait le mort » que du type « fait le fou » (cf. chapitre 6.2). Madame S. confirme aux questions 14 et 15 (réponses données verbalement) que l'élève ne s'oppose pas explicitement aux enseignantes, mais ne présente pas non plus de grandes manifestations de satisfaction lors d'un travail effectué avec application.

La troisième partie du questionnaire nous apprend enfin que Timothée ne rejette pas l'objet-livre en tant que tel, puisqu'il prend « parfois » des livres de bibliothèque pendant ses temps libres. Il n'utilise par contre pas encore ses compétences de lecteur de manière fonctionnelle dans le cadre de la vie de la classe. Il ne prépare pas souvent ses leçons de lecture correctement et ne progresse que lentement.

2.6 – Entretien dirigé avec la mère (cf. annexe 4)

Nous avons rencontré Madame C. à son domicile et nous avons eu un entretien avec elle au sujet du comportement de Timothée face à l'écrit et surtout de sa motivation dans la réalisation des devoirs et leçons de lecture. Nous avons choisi la formule de l'entretien dirigé qui nous a permis de réaliser un entretien structuré (cf. chapitre 6.3).

Résultats et interprétation

L'entretien s'est bien déroulé. La mère de Timothée a répondu très volontiers à nos questions (cf. annexe 4). Elle a manifesté par contre de la difficulté à expliciter ses réponses. Elle s'est souvent contentée de répondre de manière laconique ou de choisir simplement les variantes proposées sans donner d'explications complémentaires.

Nous avons néanmoins compris par ses réponses la difficulté qu'elle avait quotidiennement à gérer les tâches à domicile de Timothée. L'enfant se montre en effet très peu motivé et devient souvent agressif lorsque Madame C. exige qu'il réalise son travail. De plus, Timothée trompe sa mère en lui transmettant des informations incorrectes sur les travaux à réaliser ou en cachant ses affaires.

Nous avons compris sans peine leurs difficultés relationnelles en assistant à des scènes inattendues lors de notre entretien. À ce propos, le comportement de l'enfant pendant notre discussion a certainement été plus informatif que les réponses apportées par Madame C. à notre questionnaire !

Nous avons découvert en fait un Timothée que nous ne connaissions pas du tout : nous avions l'image d'un élève poli et souriant et nous avons découvert un enfant agressif, impoli, malhonnête. Timothée répond en effet de manière très agressive à sa mère. Il l'a par exemple traitée de « conne » devant nous lorsqu'elle lui a demandé de nous laisser tranquille pour l'entretien. Il est allé ensuite souper au salon et lorsqu'il a rapporté son repas à la cuisine, il a jeté son assiette encore pleine sur la table en criant que « la sauce était dégueulasse » et est reparti dans le salon en bougonnant.

L'élément le plus frappant était certainement la modification physique des traits du visage de l'enfant. Lorsqu'il se tournait vers nous, son expression était détendue, son sourire s'épanouissait largement et lorsque, deux secondes plus tard, il se retournait vers sa mère, ses traits se durcissaient et le ton de sa voix se modifiait de façon spectaculaire.

Madame R. nous avait informé des difficultés relationnelles de Timothée et de sa mère et du suivi psychologique de la famille à ce sujet. Nous avons néanmoins été très impressionné par l'importance du phénomène et surtout par l'impuissance de la mère à gérer l'agressivité de Timothée. Elle s'est en réalité uniquement contentée de rappeler à de nombreuses reprises à l'enfant « qu'on doit être poli avec sa mère ». Le ton utilisé ne nous a malheureusement pas convaincu du tout — ni Timothée apparemment !

Nous avons rencontré le psychologue qui s'occupe de Timothée et de sa famille, quelques jours après cet entretien avec Madame C. Nous avons relevé les difficultés que semble rencontrer la mère de Timothée avec son enfant. Monsieur P. est conscient des problèmes relationnels de la famille et interviendra encore auprès de la mère pour l'aider à surmonter ses difficultés.

Quant aux informations que nous avons obtenues auprès de Madame C. au sujet de la lecture elle-même, le questionnaire confirme les résultats enregistrés jusqu'ici. Le manque de motivation de Timothée pour les tâches de lecture est évident (questions 1, 3, 4, 5 et 8). Nous avons également une confirmation du rejet de la lecture en tant qu'exercice de déchiffrement (questions 1, 4 et 6). Par contre, le livre en tant que support d'une histoire semble intéresser l'enfant (questions 2 et 11). Le rôle important des images est souligné à nouveau (question 2).

Nous voulons également signaler un dernier élément intéressant : lors de notre visite, nous n'avons observé aucun support écrit dans le domicile de la famille C. Nous n'avons évidemment pas poussé très loin nos investigations, mais le fait nous a néanmoins troublé. Nous imaginons volontiers la difficulté de Timothée à donner réellement du sens à l'apprentissage de la lecture si l'écrit est absent de son milieu de vie quotidien. Une intervention sur les fonctions sociales de l'écrit nous semble dès lors nécessaire.

2.7 – Évaluation des compétences lexiques

Nous avons procédé également à une évaluation des compéten-ces de l'élève en lecture. Comme nous l'avons déjà signalé, les progrès de Timothée dans la branche elle-même sera un moyen très intéressant d'évaluer *a posteriori* l'importance de sa motivation pendant le projet. Lors de l'analyse comparative des résultats (cf. chapitre 13.1), nous con-fronterons donc les performances de l'élève en évaluation finale à celles réalisées lors de la présente évaluation.

Les informations que nous obtiendrons ici nous permettront égale-ment d'adapter les exercices de remédiation au niveau de l'élève lors des interventions. Nous savons maintenant l'importance, dans le domaine de la motivation, de fixer des objectifs correspondant aux possi-bilités de l'enfant.

Résultats et interprétation

La technique de déchiffrement de Timothée est encore peu effi-ciente. La fusion des lettres est difficile lorsque les sons n'ont pas encore été travaillés en classe et la lecture globale de mots est inexistante sans le support de l'image. L'élève est néanmoins capable de reconnaître des lettres dans un mot. Il éprouve par contre plus de difficultés lorsqu'il doit compléter des mots avec les lettres proposées. Dans cet exercice, Timothée semble devoir gérer, en plus des difficultés de déchiffrement, l'écriture des lettres (par exemple, le « t » de tulipe ou le « p » de pipe qu'il écrit à l'envers).

Toujours au niveau du déchiffrement, on remarquera que Timothée n'a pas plus de difficulté à lire des phrases que des mots. Ce phénomène peut s'expliquer par l'utilisation assez bonne que l'élève fait du contexte, en relevant des indices sémantiques dans les phrases elles-mêmes, mais surtout, selon nous, dans les images accompagnant les phrases. Par con-tre, les mots isolés ne permettent évidemment pas de prise d'indices dans le reste de la phrase.

Si nous analysons maintenant la compréhension de lecture, nous constatons qu'elle est globalement faible.

Nous pouvons enfin noter que Timothée a toujours travaillé, pendant les différentes épreuves, en restant concentré sur son activité. Cette attitude confirme son besoin de sentir toujours un adulte qui reste près de lui et qui relance si nécessaire l'activité. Nous avions en effet constaté lors des deux observations que Timothée ne travaillait qu'en présence de l'enseignante. Il s'agira donc d'insister, lors des interventions, sur la motivation de l'élève dans des tâches qu'il devra gérer de manière autonome. Nous voyons ici un lien avec une forme du manque de motivation que nous avions signalée dans notre cadre théorique (cf. chapitre 5.3) et qui s'exprimait par une « tendance réactionnelle positive » : l'élève considère parfois l'école comme un lieu d'interactions avec un adulte et non comme un lieu d'apprentissage.

2.8 – Inventaire d'intérêts (cf. annexe 5)

Le dernier instrument que nous avons utilisé lors de cette évaluation formative de départ est un inventaire d'intérêts (cf. annexe 5). Celui-ci ne vise plus à évaluer la motivation de Timothée en lecture — comme dans les évaluations précédentes —, mais doit nous aider à mieux comprendre les intérêts extra-scolaires de l'enfant. Il ne s'agit donc pas d'un instrument d'évaluation à proprement parler, mais d'un inventaire d'informations sur les intérêts de l'élève. Ces informations devraient nous permettre de choisir des activités correspondant aux motivations intrinsèques de Timothée (cf. chapitre 3, composante 2 et 3.3.1) lors de nos interventions.

Résultats et interprétation

Les intérêts extra-scolaires de Timothée tournent principalement autour du thème de la ferme et des animaux (items 1, 9, 11 et 12). L'enfant nous a d'ailleurs parlé à plusieurs reprises de son père qui s'occupe d'une ferme et de son désir de devenir un jour fermier comme lui.

Timothée profite également de l'occasion pour nous confirmer son manque d'intérêt pour la lecture (item 9) et sa difficulté à expliciter ses choix (items 7 et 14).

2.9 – Présentation synthétique des résultats de l'ensemble des évaluations

Nous désirons conclure maintenant ce chapitre important, consacré à l'évaluation diagnostique, en présentant une synthèse des principaux résultats obtenus.

Nous voyons se dégager principalement trois types de difficultés :

1. D'abord, nous avons souligné les difficultés liées à la **mauvaise compréhension des fonctions sociales de l'écrit**. Timothée comprend mal, en effet, l'intérêt de l'apprentissage de la lecture. Le métier de fermier n'exige, selon lui, aucune compétence dans le domaine. De plus, l'indigence des supports écrits constatée à son domicile ne facilite pas la prise de conscience de l'importance de l'apprentissage de la lecture. Or, nous estimons que, pour Timothée, l'accès aux compétences lexiques est justement déterminant pour tous les supports écrits que l'on rencontre quotidiennement.

2. Plusieurs évaluations ont également mis en évidence le **manque de motivation et d'autonomie dans la réalisation des tâches écrites de lecture**. Timothée s'est révélé dans ces observations un redoutable « éviteur d'efforts » dont la manifestation première consiste à « faire le mort » (cf. chapitre 5).

   Pour Timothée, l'apprentissage de la lecture est un exercice ingrat qui prend difficilement sens et qui n'apporte aucune satisfaction. Ses faibles compétences lexiques — principalement une technique de déchiffrement laborieuse — ne facilitent pas non plus le plaisir de lire. La gestion difficile des tâches à domicile participe de cette même problématique.

3. Le **rapport affectif de l'enfant avec la lecture** se trouve évidemment affecté par toutes ces difficultés. L'évaluation nous a appris par exemple que Timothée a une image médiocre de lui en tant que lecteur. Il soupçonne également ses pairs et ses enseignantes de partager ses mauvaises impressions. Les éléments que nous venons de donner expliquent aisément ce rapport embarrassé que l'élève entretient avec le monde de l'écrit.

L'évaluation formative de départ nous a enfin donné quelques indications connexes :

   – Les capacités d'abstraction de l'enfant sont limitées ; Timothée éprouve des difficultés à traiter plusieurs informations simultanément ; l'approche métacognitive ne lui est pas familière.

   – Timothée et sa maman souffrent de problèmes relationnels importants qui se manifestent notamment par une gestion très difficile des tâches à domicile.

   – L'élève est très intéressé par les animaux et la vie de la ferme.

CHAPITRE
11

Les objectifs du projet, la planification et la méthode utilisée

Les résultats obtenus lors des différentes évaluations formatives de départ nous permettent de définir maintenant les objectifs du projet.

Lors des interventions qui vont suivre, nous tâcherons de développer la motivation de l'élève pour l'apprentissage de la lecture à travers l'acquisition de certaines compétences.

À la fin de la période d'interventions, nous effectuerons une évaluation de ces compétences. Nous émettons l'hypothèse que le développement de celles-ci se traduira par une motivation supérieure de l'élève. Pour vérifier si notre hypothèse se révèle exacte, nous évaluerons les manifestations de l'attitude de Timothée en reprenant les questionnaires, les échelles et les grilles d'observation utilisés lors de l'évaluation formative de départ. Nous pourrons ainsi mesurer, en comparant les résultats de l'évaluation de départ et ceux de l'évaluation finale, si des différences significatives se dessinent. Cela nous permettra de voir si nous avons réussi à motiver Timothée pour l'apprentissage de la lecture.

Il nous semble important de souligner à nouveau ici qu'une intervention dans le domaine de la motivation ne peut pas se réaliser sur l'attitude elle-même — qui constitue pourtant la fin —, mais uniquement sur le développement des **compétences** favorisant l'apparition des **manifestations** de cette même **attitude**. Nous distinguons donc, pour clarifier le propos, les trois niveaux suivants :

1. Le premier niveau représente les **compétences** de l'élève dans une tâche particulière. Par exemple, à la fin du projet, Timothée devra mieux comprendre les retombées cognitives, affectives et sociales de la lecture, et donc de la nécessité de son apprentissage. C'est principalement à ce niveau que nous interviendrons.

2. Le second niveau concerne les **manifestations** des compétences développées. Pour reprendre le même exemple, une évaluation

nous permettra de vérifier si la compréhension des retombées cognitives, affectives et sociales de la lecture se manifeste par la capacité de l'élève à expliquer pourquoi on lit, ce que l'on peut lire (supports), comment on lit, etc.

3. Le troisième niveau correspond cette fois à l'**attitude** motivée. Nous avons souligné dans le cadre théorique (cf. chapitre 6.1) qu'il était impossible d'observer directement une attitude et que seules les manifestations de l'attitude permettent d'inférer un changement dans l'attitude elle-même. Dans l'exemple choisi, nous inférons — en nous appuyant ici sur les apports de la psychologie cognitive (cf. chapitre 4.4.3) — que Timothée sera motivé pour l'apprentissage de la lecture puisqu'il a compris les retombées cognitives, affectives et sociales de la lecture (il a pu nous expliquer pourquoi on lit, ce que l'on peut lire, comment on lit, etc.). L'évaluation finale devrait nous permettre de mesurer l'importance de l'écart entre les manifestations de l'élève au début du projet et à la fin.

Le niveau 1 concernera donc l'intervention elle-même. Le niveau 2 nous permettra d'évaluer le résultat de l'intervention. L'évaluation finale nous permettra enfin de situer les progrès de l'élève dans ce que nous supposons être une attitude motivée. En renonçant ainsi à fixer des objectifs intermédiaires qui concerneraient la motivation elle-même, nous évitons également de nous laisser enfermer dans le paradoxe du « sois motivé » exprimé en introduction.

Cette clarification faite, nous pouvons maintenant formuler les objectifs de notre projet.

1

LES OBJECTIFS DU PROJET ET LA PLANIFICATION DE L'INTERVENTION

Nous fixons trois objectifs principaux :

1. Nous tâcherons tout d'abord d'aider l'élève à mieux comprendre les retombées cognitives, affectives et sociales de la lecture et favoriser ainsi la motivation de l'élève pour son apprentissage. Pour réaliser cet objectif, nous allons mener une réflexion avec l'ensemble de la classe sur les fonctions de l'écrit dans notre société. Nous voyons dans ce premier objectif une condition déterminante à la motivation de Timothée pour la lecture et son apprentissage.

2. Nous essaierons ensuite de motiver l'élève lors de la réalisation des tâches écrites de lecture. C'est en effet dans ce type d'exercice que l'élève a manifesté le plus évidemment son manque de moti-

vation. Le travail que nous aurons mené pour la réalisation du premier objectif devrait nous aider à atteindre également cet objectif-ci. Nous travaillerons de plus sur un cahier progressif de lecture, en indiquant clairement à Timothée l'objectif, la démarche, les critères retenus et en tâchant de l'impliquer dans une démarche de projet qui devrait amener l'élève de la lecture des lettres à celle des phrases. Nous nous appuierons également sur l'apport des théories béhavioristes (cf. chapitre 4) en utilisant la dynamique motivationnelle des renforcements.

3. Le dernier objectif de notre projet touche plus précisément au rapport affectif que Timothée entretient avec la lecture. Ici également, le travail que nous effectuerons en vue de la réalisation des deux premiers objectifs influencera le rapport de l'élève avec l'écrit. Nous emprunterons néanmoins plus particulièrement la « voie affective » en menant un projet spécifique qui consistera à réaliser un petit livre avec Timothée. Nous travaillerons à l'aide de la technique de la dictée à l'adulte, sur un thème choisi par l'élève.

Nous évaluerons si le rapport affectif que Timothée entretient avec la lecture s'est modifié à la suite de ce projet. Nous utiliserons pour cela le questionnaire d'attitudes de l'évaluation formative de départ.

Les trois objectifs intermédiaires formulés ici correspondent en fait à trois « modules » d'intervention.

1. Le premier sera consacré à développer une conscience de l'importance capitale de la lecture en tant qu'instrument de l'intégration sociale. Comme nous l'avons déjà mentionné plus haut, il s'agira de faire découvrir à Timothée les retombées cognitives, affectives et sociales de la lecture. Nous mènerons donc une réflexion sur la nature, les fonctions, les buts, les usages de l'écrit dans notre société. Nous nous inspirerons ici de la proposition de Trocmé-Fabre (1987, p. 224) qui suggère de répondre aux questions « lire quoi ? lire pourquoi ? lire où et quand ? lire comment ? ».

Ce premier module s'inspire directement de la psychologie cognitive (cf. chapitre 4) et plus précisément de l'importance du système de perception sur la motivation scolaire.

2. Nous tâcherons dans un deuxième temps (interventions 4 à 7) de favoriser l'autonomie et la motivation de l'élève dans des tâches écrites de lecture. Notre support de travail sera un cahier progressif divisé en trois sections : la lettre, le mot et la phrase. L'élève avancera dans ce cahier en complétant les fiches de difficulté progressive et pourra ainsi évaluer concrètement ses progrès qui lui permettront de passer de la lecture des lettres à celle des phrases.

Sa motivation devrait naître ainsi de plusieurs aspects déterminants :

- l'existence d'un projet (de la lettre à la phrase) concrétisé par un cahier progressif ;
- la définition pour chaque fiche d'un objectif précis et d'un critère de réussite communiqués à l'élève ;
- la réussite rapide des premières fiches et l'appui sur des compétences déjà acquises (connaissance des lettres et lecture de mots simples) ;
- la visualisation des progrès par des fiches d'auto-évaluation à la fin des sections et à la fin du cahier ;
- l'existence des trois sections représentant des étapes à franchir ;
- les renforcements prévus (cf. chapitre suivant) ;
- la perception claire (et concrète) des exigences de la tâche.

Les enseignantes participeront à la réalisation des objectifs de ce deuxième module lors des leçons courantes de lecture. Nous leur en fournirons les moyens nécessaires (cf. chapitre suivant).

3. Le troisième module sera consacré plus particulièrement au rapport affectif que l'élève entretient avec la lecture. Nous réaliserons ainsi avec Timothée un petit livre qui sera lu par l'élève lui-même lors de la dernière intervention et dont on distribuera un exemplaire à toute la classe. Cette expérience permettra de développer plusieurs aspects motivationnels intéressants :

- l'utilisation de la lecture comme activité de communication ;
- une meilleure compréhension de la fonction sociale de l'écrit (lien avec le premier module) ;
- le choix d'un thème correspondant aux motivations intrinsèques de l'élève ;
- l'utilisation de ses compétences lexiques (lien avec le deuxième module) ;
- une meilleure compréhension du rapport complémentaire images/textes dans les livres ;
- une meilleure compréhension de la définition de l'acte lexique comme activité de recherche de sens (cf. chapitre 12, intervention 10) ;
- la valorisation de l'élève en tant que lecteur et émetteur d'écrit.

Nous consacrerons cinq interventions à ce troisième module. Nous travaillerons néanmoins toujours sur les objectifs du deuxième module en progressant dans notre cahier lors des tâches écrites de lecture en classe ou en donnant des exercices à réaliser à la maison comme devoirs. Les enseignantes participeront donc à la poursuite des objectifs fixés plus haut.

2

PRÉSENTATION DE LA MÉTHODE
ET DU MATÉRIEL UTILISÉS

Nous venons de définir les objectifs du projet. Nous désirons maintenant présenter la méthode utilisée et le matériel que nous avons préparé. Nous allons également définir le rôle que nous allons jouer dans le projet, ainsi que les fonctions exactes des pairs de Timothée, de ses deux enseignantes et de sa mère.

2.1 – L'enseignant spécialisé

Notre rôle dans le projet sera important. Nous mènerons l'ensemble des interventions avec Timothée. Nous travaillerons surtout de manière individuelle, ce qui nous permettra de différencier réellement notre enseignement. Nous pourrons profiter du local d'appui du bâtiment scolaire. La méthode et le matériel que nous utiliserons dans ce cadre seront présentés au chapitre 12.

Nous voulons pourtant préciser ici que si nous tenons un rôle important dans le projet, le personnage central de la démarche sera évidemment Timothée. Sans son adhésion au projet et son implication dans les démarches proposées, nos interventions seront totalement inopérantes. Nous nous contenterons donc de suggérer des activités motivantes à l'élève qui choisira en dernier ressort s'il les trouve effectivement motivantes ou non ! Nous sommes donc prêt à modifier notre planification et à réajuster notre projet si nous voyons que la motivation de Timothée, malgré tous nos efforts, ne s'incarne pas dans les activités que nous lui proposons.

2.2 – Les pairs

Comme nous venons de le dire, nos interventions seront avant tout individuelles. Néanmoins, nous travaillerons parfois avec toute la classe dans la mesure où nos objectifs — adaptés aux difficultés particulières de Timothée — pourront aider les autres élèves dans le cadre de leur programme propre. Nous pensons par exemple impliquer toute la classe lors des premières interventions qui traiteront des fonctions de l'écrit et des retombées cognitives, affectives et sociales de son apprentissage.

Les pairs joueront également un rôle important lors de la présentation de son petit livre par Timothée (dernière intervention). Nous savons déjà, au début du projet, que les autres élèves accueilleront avec enthousiasme le travail de Timothée, l'ambiance de classe étant tout à fait favorable à ce type d'expérience.

2.3 – Les enseignantes

Comme nous l'avons signalé plus haut, les enseignantes joueront un rôle déterminant dans la réalisation du deuxième module. L'objectif correspondant vise en effet à développer chez Timothée une relative autonomie dans la réalisation des tâches écrites de lecture. Nos interventions en situation individuelle ne sont donc pas adaptées à cet objectif. La classe constitue en revanche le milieu naturel dans lequel va pouvoir s'exprimer la motivation de l'élève et son autonomie.

Nous aurons donc, avec les enseignantes régulières, des fonctions complémentaires dans le projet. De notre côté, nous fournirons à l'élève les moyens de son autonomie dans le cadre de nos interventions. Les enseignantes pourront, de leur côté, utiliser en classe les nouvelles compétences de l'élève ainsi que les instruments présentés à l'élève lors de ces interventions.

Les moyens que nous mettons concrètement à disposition des enseignantes sont les suivants :

- le **cahier progressif** : cet instrument sera utilisé par les enseignantes lors des leçons de lecture ou comme tâche à domicile. Les critères de réussite communiqués à l'élève pour chaque exercice, ainsi que les fiches d'auto-évaluation concluant les sections devraient favoriser sensiblement la motivation de l'élève. Nous laisserons le soin aux enseignantes de fixer elles-mêmes le critère de réussite avant la réalisation de chaque fiche, ce qui leur permettra d'adapter le niveau d'exigence aux progrès de l'enfant et de respecter ainsi le niveau d'expectation de l'élève (cf. chapitre 3, composante 3).

- les **fiches d'auto-évaluation** pronostique et proactive des processus (cf. annexes 6, 7 et 8) : nous en présenterons la version la plus simple lors de la sixième intervention. Les enseignantes jugeront elles-mêmes si les autres fiches sont également profitables pour l'élève.

  Ces fiches pourront être utilisées dans les cours de lecture indépendamment du cahier progressif. Elles peuvent également convenir à d'autres activités scolaires.

- le « **jeu de la ferme** » : nous avons élaboré un matériel de renforcement simple qui convient également à toutes les activités de lecture :

  L'élève dispose d'une grande feuille sur laquelle il va « construire » sa ferme et coller des animaux. Le matériel de construction et les animaux « s'achètent » chez l'enseignante. L'élève choisit ce qu'il désire acquérir en consultant une liste de prix (ce qui l'oblige à lire les noms des articles disponibles et à compter son argent). Il gagne les jetons permettant l'achat du matériel et des animaux lors des tâches écrites réalisées en classe. Les enseignantes fixent le

« salaire » en fonction de leurs propres critères qui seront communiqués à l'élève avant la réalisation de la tâche (critère du temps de réalisation, critère de réussite, etc.).

L'élève encaisse donc ses jetons en fonction de la qualité de son travail (ce qui représente somme toute une règle communément admise dans nos sociétés !) et gère sa « fortune » comme il l'entend. Il pourra ainsi commencer par construire toutes les infrastructures ou, au contraire, acheter d'abord les animaux...

La situation choisie pour ce jeu présente à notre avis trois avantages principaux :

– elle est d'abord un instrument de renforcement simple qui peut s'utiliser dans toutes les activités ;

– elle oblige l'élève à lire (liste de prix) et situe l'acte lexique dans un contexte signifiant ;

– elle correspond aux motivations intrinsèques de l'élève (cf. l'inventaire d'intérêts de l'évaluation formative de départ).

2.4 – La mère de Timothée

Nous tenons enfin à impliquer également la mère de Timothée dans notre projet. Nous avons déjà obtenu auprès d'elle des renseignements intéressants sur l'attitude de l'enfant face à la lecture. Nous désirons de plus trouver avec Madame C. des solutions aux difficultés de Timothée, adaptées au contexte familial.

Nous insisterons particulièrement sur ce « trouver avec elle », lors de notre entretien. Nous avons en effet essuyé plusieurs fois des échecs, comme enseignant d'appui, dans notre désir de collaboration avec la famille. Nous avons notamment relevé maintes fois la difficulté d'impliquer les parents dans une démarche structurée : souvent, la collaboration avec les parents ne se déroule pas comme nous l'entendons. En fait, nous devrions toujours nous demander quelle place exacte attribuer à la famille dans un projet scolaire et comment impliquer les parents dans une démarche de remédiation. Avec le titulaire, le terrain commun de la pédagogie facilite la collaboration. Avec la famille par contre, la frontière commune aux deux territoires est malgré tout assez congrue. Les contacts sont par conséquent beaucoup plus difficiles à établir. Nous devons dès lors nous demander s'il s'agit d'aider les parents à nous rejoindre sur le terrain de la pédagogie ou bien s'il est préférable d'envisager une action éducative plus large.

Nous pensons que, en réalité, l'erreur consiste à vouloir répondre à cette question. On ne peut pas définir de manière générale et définitive les modalités de collaboration avec les parents. Nous estimons qu'au contraire, c'est la prise en compte de l'écosystème familial — propre à chaque situation — qui permettra de déterminer le niveau et le degré de collaboration. Comme nous l'avons signalé lors de l'évaluation formative de départ, nous devons nous défaire d'une image angélique de la famille idéale. Les possibilités de collaboration ne dépendent ni de la qualité de notre projet, ni de la pertinence de nos propositions, mais, avant tout, de l'organisation et des valeurs propres de la famille concernée.

Nous allons donc essayer, lors de notre entretien avec Madame C., de mieux comprendre la famille de Timothée et d'envisager avec elle des solutions aux difficultés propres de l'enfant. Nous informerons Madame C. de notre projet et de notre volonté de nous appuyer sur toutes les ressources disponibles, mais nous serons également prêt à renoncer à nos propositions si celles-ci paraissent inadaptées au contexte particulier de cette famille.

CHAPITRE 12

Présentation des interventions

Pour présenter nos interventions, nous avons choisi de respecter le déroulement naturel du projet et l'ordre chronologique. Le choix opéré nous paraît judicieux puisqu'il permet de respecter la dynamique du projet, la tension vers les objectifs et la progression des activités.

Nous présenterons ainsi tout d'abord les entretiens que nous avons eus avec les enseignantes et avec la mère de Timothée, puis les interventions que nous avons menées avec l'élève. Nous insérerons les bilans intermédiaires avec les enseignantes et avec Madame C. dans la description des interventions.

Nous consacrerons enfin le chapitre 13 à l'évaluation finale et aux bilans avec les enseignantes et la mère de Timothée.

1

RENCONTRES AVEC LES ENSEIGNANTES

Comme nous l'avons déjà signalé au chapitre précédent, nous avons voulu impliquer les enseignantes dans notre projet en leur fournissant des outils permettant de favoriser la motivation de Timothée en lecture.

Nous leur avons donc présenté ce matériel en leur proposant de l'utiliser dans leurs leçons régulières de lecture. Ces instruments nous semblent suffisamment « ouverts » pour s'adapter à toutes les situations courantes de la classe.

Nous souhaitions de plus les informer précisément des objectifs que nous poursuivions au jour le jour avec Timothée lors de nos interventions et des résultats que nous obtenions. Cette information régulière nous semblait importante pour permettre aux enseignantes d'adapter éventuellement leurs stratégies aux progrès ou aux difficultés particulières de l'élève. Pour réaliser cet objectif d'information continue (et donc également d'évaluation formative), nous avons mis à leur disposition un classeur que nous avons complété au fur et à mesure des interventions par nos objectifs, nos évaluations, nos éventuels réajustements, etc. et qui a constitué à la fin de notre projet l'ouvrage que vous lisez en ce moment ! Les enseignantes ont pu ainsi savoir à tout moment où nous en étions avec Timothée et quels objectifs nous devions encore réaliser.

En plus des entretiens informels que nous avons eus tout au long du projet avec les enseignantes, nous avons fixé deux entretiens-bilans : le premier après la septième intervention et le second à la fin du travail, lors de l'évaluation finale.

2

RENCONTRE AVEC LA MÈRE DE TIMOTHÉE

Nous avons signalé au chapitre précédent l'importance de l'écosystème familial et la nécessité de nous adapter à la situation particulière de chaque famille lorsque nous désirons envisager des pistes d'intervention réalistes. C'est pourquoi nous avons préparé notre entretien avec la mère de Timothée en fonction des informations obtenues lors de l'évaluation formative de départ.

Lors de la rencontre, nous avons informé Madame C. de notre fonction dans le centre scolaire et du projet que nous avions pour son enfant. Nous lui avons ensuite fait plusieurs propositions en précisant bien qu'elle devait se sentir tout à fait libre de décider comment elle pourrait éventuellement aider Timothée.

Nous avons finalement retenu avec Madame C. deux propositions qui semblent adaptées à la situation présente.

Madame C. consacrera tout d'abord cinq minutes de lecture-plaisir avec Timothée chaque soir. Il était en effet ressorti lors de l'évaluation formative de départ que l'enfant appréciait qu'on lui lise ou raconte une histoire. Nous avons insisté auprès de la maman sur l'importance de la notion de plaisir : le but de ce moment de lecture est uniquement de se retrouver ensemble autour d'une histoire intéressante et de passer un moment agréable. La maman lira donc elle-même le texte et Timothée se contentera d'écouter l'histoire. S'il le désire, il pourra évidemment lire quelques mots ou quelques phrases. L'activité se déroulera seulement si le climat est favorable et si la relation est bonne entre Timothée et sa mère. En plus de l'intérêt motivationnel directement en rapport avec notre projet, nous voyons également ici l'occasion pour la mère et l'enfant de développer une relation plus harmonieuse en ménageant, chaque jour, un moment de complicité.

La deuxième suggestion concerne plutôt la gestion des tâches à domicile — qui est quotidiennement source de tensions entre Timothée et sa maman. Nous avons proposé à Madame C. de redéfinir le rôle de chaque partenaire dans cette problématique : Timothée sera dorénavant le seul responsable de ses devoirs et leçons ; la mère se contentera uniquement de rappeler à l'enfant qu'il a peut-être des tâches à réaliser. Les enseignantes se chargeront de vérifier avec l'élève si le travail a été effectué. De cette manière, la mère ne se sentira plus constamment culpabilisée et l'enfant sera mis face à ses responsabilités. Les tâches à domicile ne seront donc plus une source de conflits entre eux. Nous espérons que la motivation suscitée chez l'élève avec le cahier progressif sera suffisante pour lui permettre de réaliser ses tâches sans les sollicitations constantes de la mère.

Nous évaluerons la pertinence de ces deux propositions lors du bilan intermédiaire que nous aurons avec Madame C. Nous espérons atteindre avec elle deux objectifs distincts : d'abord l'impliquer dans notre projet de motivation en lecture, mais également favoriser une dynamique relationnelle différente entre elle et Timothée.

3

PRÉSENTATION DE L'ENSEMBLE DES INTERVENTIONS

Nous présentons maintenant l'ensemble des interventions effectuées avec l'élève. Nous préciserons pour chaque intervention l'objectif poursuivi et l'évaluation effectuée à la fin du cours. Nous apporterons certaines fois des commentaires complémentaires sur le déroulement du cours, la méthode utilisée ou le travail accompli par les enseignantes ou la mère de Timothée.

Pour toutes les interventions du projet, nous avons établi le projet de déroulement suivant :

1. Rappel de l'objectif de la dernière intervention
2. Présentation de l'objectif et du programme du jour
3. Intervention
4. Évaluation de l'objectif du cours
5. Information à l'élève du résultat de l'évaluation et commentaires éventuels.

3.1 – Première intervention

Les trois premières interventions sont consacrées aux différentes fonctions de l'écrit et à ses supports, à son rôle social et aux différentes stratégies de lecture. Nous tâcherons ainsi de développer une meilleure perception par l'élève de la valeur et des exigences de la tâche (cf. chapitre 4.4). Comme le soulignent Marzano et Paynter (2000), « une lecture efficace nécessite l'identification d'un objet spécifique ou d'un but de lecture » (p. 42).

À la fin de la première intervention, nous souhaitons amener Timothée à répondre oralement à la question « peux-tu m'indiquer 3 supports de lecture différents (lire quoi ?) » en citant, par exemple, le livre, le dictionnaire, l'annuaire téléphonique, etc.

L'intervention fait l'objet d'une discussion avec l'ensemble de la classe. Nous proposons aux élèves une réflexion sur les supports de l'écrit (lire quoi ?), ses fonctions (lire pourquoi ?), son rôle social (lire où et quand ?) et les stratégies de lecture (lire comment ?).

Nous insistons ici sur la nécessité d'informer précisément l'élève, lors de chaque intervention, des objectifs poursuivis, de la signification des activités, des moyens et des méthodes utilisés, des progrès accomplis, etc. Nous avions d'ailleurs souligné plus haut l'importance déterminante de l'explicite et de la transparence dans la dynamique motivationnelle (cf. chapitre 4.6). L'élève doit en effet connaître en tout temps où il en est et où il doit aller.

À la fin de l'intervention, nous avons vérifié si l'objectif était atteint : en effet, Timothée a pu citer cinq supports de lecture à la fin du cours (livre, journal, ordinateur, affiche et panneau).

L'élève a bien participé au cours — malgré quelques bâillements spectaculaires ! Il manifeste par contre des difficultés à rester toujours dans l'objet de la discussion.

En discutant avec Madame S., celle-ci « mitige » un peu notre impression favorable en nous rappelant les difficultés de Timothée dans le maintien et la généralisation des acquisitions. Nous vérifierons au début de la deuxième intervention si l'élève peut toujours nous citer au moins trois supports de lecture.

3.2 – Deuxième intervention

Nous travaillons aujourd'hui sur la question « peux-tu m'indiquer 3 raisons de lire (lire pourquoi ?) ». Nous espérons que Timothée pourra nous donner au minimum 3 raisons valables de lire, comme par exemple lire pour s'informer, lire pour le plaisir, lire pour jouer, etc.

Cette intervention fait de nouveau l'objet d'un travail avec toute la classe. L'enseignant propose aux élèves de sortir du bâtiment scolaire et de noter toutes les situations de lecture qui se présentent lors de notre promenade en ville. Les élèves forment des groupes de deux : un élève observe et l'autre élève écrit. De retour en classe, les élèves mettent en commun leurs observations en tâchant de les classer sous une des rubriques proposées lors de l'intervention 1 (« lire quoi ? pourquoi ? » etc.). L'enseignant insiste particulièrement sur l'objectif du jour.

En plus de l'objectif de la leçon, nous évaluons à nouveau au début du cours l'objectif de la première intervention. Timothée nous donne à nouveau sans difficulté trois supports de lecture.

Il éprouve par contre plus de problèmes à répondre à la question « lire pourquoi ? » qui demande, selon nous, un niveau d'abstraction supérieur à celui du premier objectif (« lire quoi ? »). Il trouve finalement les trois raisons suivantes : lire pour apprendre (dans le dictionnaire) ; lire pour s'informer (programme TV) ; lire pour connaître les règles de circulation (sa sœur passe son permis de vélomoteur à ce moment-là).

L'objectif est donc atteint, mais le comportement de Timothée nous rappelle une nouvelle fois que nous devons toujours rester proche des situations concrètes et qu'une démarche exclusivement métacognitive pose des difficultés importantes à l'élève. Dans ce sens, notre promenade dans la ville — et dans la vie ! — a certainement été une expérience importante pour Timothée.

3.3 – Troisième intervention

Cette fois, nous travaillons oralement la question « peux-tu m'indiquer deux manières différentes de lire (lire comment ?) ». Nous abordons ici les deux manières les plus évidentes de lire, à savoir lire à voix haute et lire silencieusement (« dans sa tête »). Nous aimerions souligner également, avec Timothée, que l'acte lexique est avant tout un acte de recherche de sens (l'élève pourra par exemple parler de « lire pour expliquer » ou « lire pour raconter »).

L'intervention commence par un rappel des objectifs des deux premiers cours et se poursuit par une discussion sur la manière de lire.

Nous soulignons particulièrement aujourd'hui l'importance de la lecture dans le métier de fermier (cf. évaluation formative de départ, chap. 10.2.3).

Nous présentons également à Timothée plusieurs livres abordant des thèmes proches de la ferme ou des animaux. L'élève en choisit un (« Mathilde et le fantôme ») qu'il proposera à sa maman pour les cinq minutes de lecture-plaisir.

L'objectif est atteint aujourd'hui sans difficulté. L'élève a été très attentif pendant toute la durée de l'intervention. Les acquisitions des deux premières leçons sont maintenues. Timothée a manifesté beaucoup d'intérêt lors du choix du livre et a bien compris le sens de la démarche proposée avec sa maman.

Il nous a par contre dit, comme lors de l'évaluation formative de départ, que le métier de fermier n'exigeait aucune compétence dans le domaine de la lecture. Nous avons alors cherché ensemble à énumérer les supports de lecture que le fermier rencontrait nécessairement. Nous avons ici une confirmation de la nécessité de toujours donner du sens à un apprentissage, même lorsque celui-ci paraît relever, comme pour la lecture, de l'évidence la mieux établie.

Madame S. nous a également informé de la bonne qualité du travail de Timothée lors de la leçon de lecture du matin.

3.4 – Quatrième intervention

Les interventions 4 à 7 sont consacrées à la présentation du cahier progressif. Nous tâcherons tout d'abord d'impliquer l'élève dans le projet qui devrait l'amener de la lecture des lettres à la lecture de phrases. Nous l'informerons de la fonction des critères de réussite (fixés par les enseignantes avant chaque exercice) et des fiches d'auto-évaluation de son cahier. Nous compléterons également avec l'enfant la fiche d'auto-évaluation pronostique et proactive des processus (annexe 6). Nous présenterons enfin à Timothée le « jeu de la ferme » (cf. chapitre 11.2.3).

Ces interventions permettront donc à l'élève de travailler de manière autonome dans des tâches écrites de lecture. Les instruments présentés ici permettront également aux enseignantes de disposer de moyens permettant de motiver l'élève lors des leçons de lecture en classe (cf. chap. 11.2.3).

Lors de cette quatrième intervention, nous souhaitons donc amener l'élève à expliciter avec ses propres mots l'objectif du cahier (améliorer ses compétences lexiques de manière à passer de la lecture de lettres à la lecture de phrases). Il pourra, s'il le désire, se servir du cahier comme support à son explication.

L'objectif est atteint malgré les difficultés de l'élève à utiliser les termes « lettre, mot et phrase » pour s'exprimer. Downing et Fijalkow (1990, p. 34) parlent à ce propos de « confusion cognitive » en soulignant les difficultés de nature métalinguistique dont souffrent certains élèves qui ne comprennent pas les termes utilisés pour parler de l'écrit. À l'avenir, nous tâcherons de contrôler la compréhension par l'élève du vocabulaire utilisé pour désigner les unités de langage, surtout lors des interventions du troisième module où nous travaillerons beaucoup sur les mots et les phrases.

Le maintien des objectifs de la troisième intervention est médiocre. Timothée a pu nous redonner les deux manières de lire, mais a été incapable de nous expliquer à nouveau l'importance déterminante de l'accès à la signification de l'écrit. Nous sentons une nouvelle fois la fragilité des acquisitions de l'élève et la nécessité de répéter souvent les mêmes notions.

Madame R. souligne en revanche la bonne qualité de la préparation de sa leçon de lecture. Timothée a en effet pu lire ce matin sans difficulté deux pages de son livre, ce qui ne s'était plus produit depuis longtemps. Nous attendons néanmoins des confirmations du phénomène pour attribuer cette attitude positive à notre démarche auprès de la mère de Timothée : nous « croyons » aux vertus d'une collaboration entre l'école et la famille, mais la « foi » se nourrit également de « signes » — que nous espérons en l'occurrence encore nombreux !

3.5 – Cinquième intervention

À la fin de la cinquième intervention, nous voulons amener l'enfant à :

a) donner le critère de réussite de chaque page, en se servant des indications du cahier ;

b) expliquer avec ses propres mots le rôle des fiches d'auto-évaluation en précisant que ces fiches doivent obligatoirement être complétées pour donner accès à la section suivante. L'élève pourra s'aider de son cahier pour justifier ses réponses.

Timothée a manifesté beaucoup d'intérêt lors de la présentation des critères et des fiches d'auto-évaluation. De plus, il nous a demandé à la fin du cours s'il pouvait présenter son cahier à sa maman. Nous voyons à nouveau ici un « signe » de l'intérêt de Timothée pour la démarche proposée.

Les objectifs ne sont, par contre, pas atteints aujourd'hui. Timothée a eu beaucoup de difficulté à nous donner le critère de réussite qu'il confondait fréquemment avec le nombre total de points des exercices. Quant aux fiches d'auto-évaluation, il a compris comment les utiliser, mais n'a pas pu expliciter leur rôle dans le cahier.

Nous avons informé les enseignantes de cette difficulté. Nous pensons que l'utilisation du cahier en classe permettra de clarifier les notions présentées sans que nous devions revenir lors des interventions suivantes sur les deux objectifs du jour.

3.6 – Sixième intervention

Nous travaillons, lors de cette sixième intervention, sur les trois premières questions de sa fiche d'auto-évaluation pronostique et proactive des processus (version simple, annexe 6).

Après la réalisation de sa tâche écrite, l'élève devra présenter spontanément son exercice et sa fiche d'auto-évaluation à l'enseignant qui complétera la partie « Après l'exercice ».

À part l'objectif du jour et la réalisation d'une page de son cahier progressif, nous présentons à Timothée le « jeu de la ferme » (cf. chap. 11.2.3).

Nous rappelons également à l'enfant sa responsabilité dans la gestion des tâches à domicile et le rôle limité que doit jouer sa maman dans la réalisation de son travail (cf. chap. 12.2). Il semblerait en effet, selon Madame S., que Madame C. aide à nouveau Timothée dans ses leçons de lecture.

L'objectif du jour est atteint. L'élève a complété sans difficulté sa « fiche d'auto-évaluation pronostique et proactive des processus ». Il a ensuite réalisé sa fiche en moins de cinq minutes, en restant toujours concentré sur son travail. Il n'a commis qu'une seule erreur et a donc obtenu 7 points sur 8, ce qui correspond au critère fixé pour cette fiche. Il a donc pu colorier une « brique » de sa maison (fiche d'auto-évaluation de la première section de son cahier progressif).

Les objectifs de la cinquième intervention — que nous avons rappelés au début du cours — ne semblent toujours pas maîtrisés. Timothée a eu de nouveau des difficultés à donner le critère de réussite des exercices présentés. Par contre, il a pu expliquer aujourd'hui le rôle des fiches d'auto-évaluation.

À la fin de l'intervention, Timothée nous parle du nouvel ordinateur que son père vient d'acheter pour l'aider dans la gestion de la comptabilité de la ferme. Nous profitons de l'occasion pour souligner une fois encore l'importance des compétences lexiques dans l'exercice du métier de fermier.

Madame S. a relevé enfin un comportement intéressant pendant cette semaine, lors du trajet qui va du bâtiment scolaire à la piscine communale : Timothée s'est spontanément arrêté devant une affiche annonçant un match de hockey et a voulu déchiffrer son contenu. Cette observation nous réjouit évidemment : Timothée semble motivé par la lecture fonctionnelle de supports courants !

3.7 – Septième intervention

Nous souhaitons travailler ici à la réalisation autonome d'une page de son cahier progressif. L'objectif sera considéré comme atteint si l'élève est capable de réaliser sa fiche en moins de 10 minutes. L'enseignant donnera au maximum 2 fois de l'aide à l'élève et interviendra exclusivement sur sollicitation. Il ne travaillera donc pas plus de 2 minutes (sur 10) avec l'enfant. L'élève aura réalisé au moins les 3/4 de sa fiche et la moitié des réponses doivent être correctes.

Cet objectif est atteint sans difficulté. Timothée obtient 8 points sur 10 et termine son travail dans les temps. Il réalise sa fiche en 6 minutes et ne sollicite jamais l'aide de l'enseignant.

Nous pensons que la « fiche d'auto-évaluation pronostique et proactive » (cf. annexe 6) a joué à ce propos un rôle déterminant : l'élève nous a assuré — avant de réaliser la tâche — qu'il avait compris la consigne et qu'il était capable de compléter l'exercice sans aide et rapidement. L'aspect « pronostique » de la fiche a donc permis à Timothée d'évaluer *a priori* la difficulté de l'exercice correctement et l'aspect « proactif » l'a encouragé à s'investir dans l'action avec application. La désignation un peu barbare de la fiche trouve donc ici sa justification.

Timothée a, par contre, toujours de la difficulté à bien comprendre la signification du critère de réussite. Il saisit maintenant qu'on exige de lui un bon niveau de performance dans la tâche, mais a toujours des problèmes à se représenter exactement la valeur chiffrée du critère.

Madame S. a également relevé à ce propos la difficulté de Timothée à compter ses jetons lors de l'achat des animaux (jeu de la ferme). Elle estime néanmoins que la tâche proposée dans le jeu est très intéressante pour l'enfant et situe les compétences mathématiques — comme celles de lecture — dans un contexte signifiant.

À la fin de l'intervention, nous questionnons l'enfant au sujet de la gestion des tâches à domicile et du projet de lecture-plaisir avec sa maman. Les devoirs et leçons semblent maintenant réalisés de manière autonome. Madame C. se contente de corriger les exercices ou d'apporter une aide à l'enfant si celui-ci la sollicite.

Timothée a beaucoup de difficultés à nous parler ensuite du projet de lecture-plaisir. Il ne se souvient plus du livre prêté et est incapable de nous informer sur le déroulement de ces moments de lecture avec sa maman. Madame R. nous avait d'ailleurs averti de la difficulté de l'enfant à se souvenir de ce qu'il avait fait la veille à la maison. Souvent, il est incapable de dire s'il a réalisé ses tâches à domicile sans vérifier dans sa serviette si les fiches ou les exercices ont été effectués.

Cette septième intervention clôt le deuxième module — consacré à la mise en place du cahier progressif, du jeu de la ferme et des fiches d'auto-évaluation (maisons, fusée, fiches d'auto-évaluation pronostique et proactive des processus). Les deux enseignantes utiliseront maintenant ces instruments indépendamment de nos interventions.

3.8 – Bilan intermédiaire avec les enseignantes

Nous avons soulevé principalement trois aspects lors du bilan intermédiaire avec les enseignantes : l'intérêt des moyens mis à disposition, le comportement de l'élève lors des tâches individuelles et lors des leçons collectives, ainsi que la gestion des tâches à domicile.

Concernant le premier aspect, les deux enseignantes soulignent l'intérêt du jeu de la ferme qui constitue incontestablement un outil motivationnel intéressant. Timothée a bien compris la démarche et est très fier de pouvoir acheter des animaux et du matériel. Les enseignantes utilisent d'ailleurs le jeu pour susciter la motivation de l'élève dans d'autres branches.

Le cahier progressif est également apprécié par les enseignantes. Madame R. remarque que Timothée prend volontiers son cahier. Madame S. trouve néanmoins que l'élève a de la peine à saisir la démarche dans son ensemble. Il fait par exemple difficilement le lien entre ses réussites dans les exercices et les fiches d'auto-évaluation des sections (maisons). Nous reprendrons donc le cahier progressif avec l'enfant lors d'une séance individuelle et nous lui expliciterons à nouveau toute la démarche, en insistant surtout sur l'importance des critères de réussite.

Quant à la fiche d'auto-évaluation pronostique et proactive (annexe 6), elle n'a pas encore été utilisée. Les deux enseignantes estiment que Timothée doit pour l'instant s'approprier la démarche du cahier progressif. L'utilisation de la fiche d'auto-évaluation est donc remise à plus tard.

En ce qui concerne le comportement de Timothée lors des tâches individuelles, Madame S. remarque que seules les fiches faisant l'objet du projet suscitent un intérêt de la part de l'élève. Il n'y a donc pas « généralisation » de la motivation à l'ensemble du domaine scolaire. Seule la lecture profite de la démarche du projet. Cette remarque nous paraît capitale. Elle permet de mieux comprendre la dynamique motivationnelle et de cerner plus précisément le concept. Nous reviendrons sur cet aspect essentiel lors de la conclusion de l'ouvrage.

Quant aux tâches à domicile, les enseignantes relèvent la qualité des derniers travaux rendus et la constance du travail, malgré l'approche des vacances de Noël et la fatigue générale des élèves. Elles ont remarqué un changement évident d'attitude de l'enfant face à ses tâches à domicile. Nous sommes agréablement surpris par ces bonnes nouvelles : notre intervention auprès de la mère de Timothée nous paraissait peu ambitieuse et le résultat obtenu est néanmoins appréciable. Notre proposition répondait donc certainement à un besoin réel de la mère et trouvait vraisemblablement sa place dans l'écosystème familial.

Madame R. souligne également que le comportement de Timothée est globalement positif depuis quelques semaines. Elle relève néanmoins avec pertinence qu'il est un peu prématuré d'attribuer son attitude favorable à la seule mise en place de notre projet. Madame R. met ici une nouvelle fois en évidence la difficulté à interpréter les manifestations d'une attitude et plus globalement à évaluer la motivation (cf. chapitre 6).

Madame S. pense enfin que la mobilisation de tous les partenaires autour d'objectifs communs joue un rôle très important dans le projet. Elle souligne par là l'importance déterminante des processus conatifs et le rôle essentiel de la relation enseignant-apprenant dans la motivation de l'élève (cf. chapitre 4.3.3).

3.9 – Bilan intermédiaire avec la mère de Timothée

Lors de notre entretien avec Madame C., nous avons parlé des deux propositions retenues à la fin de notre première rencontre : la gestion des tâches à domicile et les cinq minutes de lecture-plaisir.

Madame C. souligne tout d'abord l'attitude positive de Timothée lors de la réalisation des tâches à domicile. Celui-ci travaille maintenant de manière autonome et sollicite sa mère seulement en cas de difficulté. Il apparaît donc que la dynamique relationnelle a changé : l'élève est maintenant « demandeur », alors qu'avant c'est la mère qui priait son enfant de réaliser ses tâches — avec beaucoup d'insistance, mais peu de succès ! Madame C. relève que la gestion des devoirs et leçons n'est donc plus source de conflits entre elle et son fils.

Quant au cinq minutes de lecture-plaisir, elles se déroulent également très bien. Timothée demande tous les soirs à sa maman de lui lire son histoire et manifeste beaucoup de plaisir lors de ces moments de lecture. Comme la lecture de « Mathilde et le fantôme » est terminée, nous suggérons de proposer une nouvelle histoire à l'enfant lors de notre prochaine intervention. Madame C. accepte sans hésitation notre proposition et nous informe qu'elle avait déjà commencé la lecture d'un nouvel ouvrage (que le père de Timothée a offert à son enfant pour Noël). Elle relève à ce sujet que Timothée a souhaité lire tout seul la première page de son livre ! Elle précise également que le livre offert parle... de la ferme et des animaux de la ferme.

Madame C. relève enfin que Timothée lui a présenté spontanément son cahier progressif à plusieurs reprises. Il paraissait tout fier de ses progrès et arborait ses résultats avec une candeur touchante.

Le bilan effectué avec la mère de Timothée est donc tout à fait positif. Nous espérons maintenant que la dynamique engagée « s'auto-alimente » et que les effets bénéfiques obtenus favorisent l'auto-renforcement des comportements. De toute façon, nous évaluerons l'évolution du projet avec la mère de Timothée lors de l'évaluation finale.

3.10 – Huitième intervention

Nous abordons avec cette huitième intervention le troisième et dernier module, consacré plus spécifiquement au rapport affectif que Timothée entretient avec la lecture. En cinq interventions, nous réaliserons avec l'élève un petit livre illustré. Nous travaillerons à l'aide de la technique de la dictée à l'adulte pour composer les textes en nous inspirant des recommandations de Pasquier (1992, p. 55 à 61). L'élève illustrera lui-même son livre en dessinant des saynètes représentatives.

Lors de la dernière intervention, Timothée présentera son petit livre à toute la classe et distribuera un exemplaire à chaque élève et aux enseignantes. Il lira à voix haute ses textes et répondra aux questions des autres élèves au sujet de la réalisation du livre.

À la fin de cette huitième intervention, nous souhaitons que l'élève puisse expliquer à l'enseignant avec ses propres mots en quoi consiste le projet.

Il devra pour cela répondre aux questions « lire quoi ? pourquoi ? où et quand ? et comment ? » (lien avec les objectifs du premier module) en donnant des réponses qui correspondent au présent projet. Les questions sont posées par l'enseignant et les réponses possibles sont par exemple : je vais réaliser un petit livre (quoi) que je distribuerai à mes camarades de classe, ... pour transmettre une expérience personnelle (pourquoi) ; je lirai mon livre en classe devant mes copains lors d'une leçon de lecture (où et quand) et à haute voix (comment).

L'objectif du jour est atteint. Timothée a choisi d'inventer une histoire avec des animaux. Nous avons déjà pu déterminer cinq épisodes principaux qui correspondront à cinq pages dans son livre. Timothée a inventé une histoire — « Le chat et la grenouille » — qui parle d'un chat qui, voulant pêcher un poisson, tombe à l'eau et est, finalement, sauvé par une grenouille.

L'élève s'est montré très intéressé par le projet. Nous avons découvert un Timothée volubile pendant cette intervention. Nous avons dû canaliser un peu ses idées et donner une suite chronologique à l'histoire. Nous avons déjà pu composer les premières phrases de son livre.

Lors de son retour en classe, Timothée a tout de suite voulu partager le thème de son livre avec ses camarades. La motivation de l'élève pour l'expérience semble donc importante.

À la fin de l'intervention, nous proposons plusieurs ouvrages à Timothée qui en choisit un — sur le thème de la ferme — qu'il parcourra avec sa maman lors du moment de lecture-plaisir.

3.11 – Neuvième intervention

Nous souhaitons travailler ici le rôle complémentaire du texte et des images dans un livre. Pour ce faire, nous réalisons avec Timothée deux pages de son petit livre (textes et dessins).

Lors de cette intervention, Timothée a beaucoup de difficulté à se décentrer et à adopter le point de vue du futur lecteur. Il a l'impression que les images suffisent à expliquer son histoire : comme il connaît le déroulement de l'intrigue, il éprouve beaucoup de peine à imaginer que d'autres élèves pourraient ne pas comprendre l'histoire sans le texte.

Nous travaillerons donc à nouveau cet aspect important lors de la réalisation des pages suivantes. Si Timothée pense réellement que les images suffisent, il ne peut pas comprendre l'intérêt de se plonger dans la lecture du texte qui les accompagne.

Quant au comportement de Timothée en classe, Madame S. a relevé une nouvelle fois l'excellence du travail de l'élève pendant cette semaine. Elle a même précisé que les autres élèves avaient également relevé spontanément le travail appliqué de Timothée.

L'enseignante a également remarqué dans le jeu de la ferme que l'enfant gère maintenant son « argent » avec plus de rigueur : il a même économisé des jetons pour s'acheter l'étable. De plus, il fait maintenant mieux le lien entre les jetons gagnés et la qualité de son travail.

3.12 – Dixième intervention

Cette intervention est consacrée à un travail syntaxique de rédaction du texte. Nous proposons à l'enfant deux questions lui permettant de corriger les phrases composées : « De qui parle-t-on ? » et « Qu'est-ce qu'on en dit ? ».

Nous réalisons ainsi les deux dernières pages de son petit livre.

L'objectif est atteint pour les phrases dont le sujet est un groupe nominal placé avant le verbe. Timothée a eu par contre de la difficulté à interpréter la pronominalisation de certains groupes de mots et, donc, à répondre à la question « de qui parle-t-on ? » lorsqu'il s'agissait de pronoms.

Relevons également le rôle important que nous avons dû jouer dans la correction des phrases au niveau de la syntaxe et de l'orthographe : Timothée est en effet totalement incapable de vérifier la qualité de la rédaction de son texte. L'objectif du jour visait d'ailleurs à faciliter chez l'élève la lecture de son petit livre et non à lui donner un cours accéléré de composition.

3.13 – Onzième intervention

Nous avons entraîné, lors de cette avant-dernière intervention, la lecture des phrases de son livre à haute voix. La qualité du déchiffrement (rapidité, intonation, etc.) ne sera pas prise en compte : le seul critère retenu est la possibilité pour l'auditeur de comprendre l'histoire sans le support du livre.

L'objectif est atteint pour la première page du livre. Timothée lit encore très lentement et déchiffre difficilement, c'est pourquoi nous confions la lecture des autres pages aux deux enseignantes qui travailleront avec l'élève pendant les leçons de lecture en classe.

Il est intéressant de constater que Timothée procède par anticipation du sens et par prise minimale d'indices syntaxiques pour construire sa lecture. Par exemple, les mots placés en début de phrase sont déchiffrés plus difficilement que les mots suivants. De même, les premières phrases de l'histoire posent des difficultés de lecture importantes, alors que les dernières phrases sont lues avec beaucoup de facilité. Timothée nous montre par là qu'il réalise une démarche lexique tout à fait correcte et qu'il manifeste le souci de construire le sens de sa lecture. Sa performance est bien entendu grandement facilitée par la très bonne connaissance de l'intrigue.

3.14 – Douzième intervention

Cette dernière intervention se déroule en classe. Timothée présente son travail à ses camarades en expliquant comment nous avons procédé pour réaliser son livre (il explique qu'il est l'auteur des textes et des dessins) ; il distribue des copies de son petit livre après son explication.

Timothée, très disert, présente son travail avec une touchante superbe. Les autres élèves, admiratifs, ont accueilli le petit livre en applaudissant leur camarade. Ils ont ensuite posé de nombreuses questions sur la conception de l'histoire et la réalisation de l'ouvrage.

Relevons ici l'excellente ambiance de classe qui a permis de valoriser Timothée en présentant son travail dans de très bonnes conditions. À ce propos, nous avions souligné dans la première partie de l'ouvrage l'importance d'un climat de coopération entre les élèves (cf. chapitre 4.3.5). Dans la classe de Timothée, l'ambiance est affable et la motivation des élèves est ainsi largement favorisée.

La lecture du livre de l'élève s'est également déroulée de manière satisfaisante. Timothée connaissait pratiquement le texte par cœur. Nous devons une nouvelle fois souligner l'excellent travail fourni par Timothée grâce au précieux concours des enseignantes.

3.15 – De la remédiation à l'évaluation

Avec cette douzième intervention, nous concluons la partie remédiative de notre travail.

La démarche choisie pour ces interventions a consisté tout d'abord à développer chez Timothée la conscience de l'importance capitale de la lecture en tant qu'instrument de l'intégration sociale (interventions 1 à 3). Dans un deuxième temps (interventions 4 à 7), nous avons voulu favoriser l'autonomie et la motivation de l'enfant dans les tâches écrites de lecture. Nous avons enfin insisté plus particulièrement sur le rapport affectif que l'élève entretient avec la lecture en composant avec lui un petit livre (interventions 8 à 12).

Il s'agit maintenant de procéder à l'évaluation du travail effectué avec l'élève.

CHAPITRE 13

Évaluation finale

Nous allons présenter maintenant l'évaluation finale. Celle-ci devrait nous permettre de vérifier d'une part si l'attitude de Timothée a changé depuis le début du projet et d'autre part si les objectifs du projet sont atteints (cf. chapitre 11.1). Comme le soulignent Morissette et Gingras, « lorsqu'on accomplit une action pédagogique formellement destinée à la réalisation d'un objectif, on juge de la valeur des décisions prises et de l'action accomplie à la lumière de ce qui est réalisé chez l'élève ; on réfléchit en termes d'apprentissage ou en termes d'atteinte d'objectifs » (1989, p. 136).

L'évaluation de la motivation n'échappe évidemment pas à ces recommandations : « Particulièrement en ce qui concerne les attitudes, on doit pouvoir apprécier, après coup, la portée de son action pédagogique. On doit pouvoir jauger les conséquences générales en termes d'atteinte des finalités ou des buts proposés et les conséquences spécifiques en termes de tâches accomplies par les élèves » (*op. cit.*, p. 135).

Nous avons, par conséquent, repris les évaluations effectuées au départ et nous avons effectué les mêmes observations en tâchant de respecter des conditions identiques de passation, ce qui devrait nous permettre de comparer les résultats et d'évaluer les progrès accomplis. « L'éclairage ainsi obtenu servira ensuite de base au jugement de pertinence et de qualité de la méthode appliquée lors de l'enseignement et des moyens mis de l'avant tout au long du processus » (*op. cit.*, p. 136).

1

PRÉSENTATION, INTERPRÉTATION
ET ANALYSE COMPARATIVE DES RÉSULTATS

1.1 – Observation de l'élève lors d'une tâche individuelle de lecture (observation dans le milieu naturel, par enregistrement continu)

Cette première évaluation correspond à un des trois objectifs intermédiaires que nous avons fixés au chapitre 11.1. Il concerne le deuxième module d'interventions (4 à 7) consacré au cahier progressif et à la motivation dans des tâches individuelles de lecture. C'est en effet dans ce type d'exercices que l'élève a manifesté de manière particulièrement évidente de faibles velléités motivationnelles lors de l'évaluation de départ.

Nous allons vérifier ici si Timothée est capable — lors d'une tâche écrite habituelle, donnée lors d'une leçon de lecture par Madame R. — de réaliser une fiche en restant concentré sur son travail. Nous évaluerons aussi le nombre d'interventions de l'enseignante pour voir si l'élève la sollicite constamment ou s'il a acquis une certaine autonomie dans la réalisation de ses tâches.

L'observation de l'élève se fera dans les mêmes conditions que lors de l'évaluation formative de départ.

Déroulement

Madame R. propose à Timothée une fiche de lecture que l'élève doit réaliser seul. Nous notons tous les comportements observés pendant le cours et interprétons dans un deuxième temps les résultats (technique d'observation par enregistrement continu) (cf. chapitre 6.3). Nous ne présentons ici que le début de l'enregistrement (les dix premières minutes).

Temps (en mn)	Ce que dit ou fait l'enseignant-e	Ce que dit ou fait l'élève
0	Présente la fiche à T., lit la consigne et demande d'expliciter	Explique la consigne avec ses propres mots
1	Contrôle le travail des autres élèves	Se met au travail : lit les mots en les suivant du doigt et écrit deux mots
2	Idem	
3	Se rend à son bureau	Écrit, gomme, écrit

Temps (en mn)	Ce que dit ou fait l'enseignant-e	Ce que dit ou fait l'élève
4	Contrôle le travail des autres élèves	Lit en subvocalisant
5	Idem	Écrit
6	Passe chez T. et le félicite	Lit un nouveau mot, écrit
7	Se dirige au fond de la classe avec N.	Lève la tête et regarde autour de lui
8	Travaille avec N. au fond de la classe	
9		Prend ses mouchoirs sous le banc et se mouche
10	Idem	Lit un nouveau mot et écrit

Résultats et interprétation

Le résultat de cette première évaluation est tout à fait concluant. Timothée a un comportement parfaitement adapté : il travaille cons-ciencieusement, sollicite l'enseignante quand cela est nécessaire et pré-sente sa fiche sans tarder à la fin des exercices. Il relâche un peu son attention après deux périodes intensives de travail, mais reprend rapide-ment son activité ensuite. On peut penser à ce sujet que l'élève s'accorde une pause bien méritée après une période d'effort intensif.

Timothée travaille pendant 31 minutes pour réaliser sa fiche. Cette période peut se découper en cinq temps :

– les 6 premières minutes : Timothée travaille sans relâche ;

– suivent 4 minutes d'inattention ;

– il travaille ensuite pendant 11 minutes sans lever la tête ;

– pendant les 5 minutes suivantes, il travaille par intermittence ;

– lors des 5 dernières minutes, il manifeste de nouveau une activité soutenue.

L'élève se consacre donc à la réalisation de sa fiche pendant 24 minutes environ sur les 31 minutes totales, ce qui constitue un résultat tout à fait honorable.

Le résultat de la fiche elle-même est également très réjouissant. Timothée ne commet aucune erreur de lecture et copie les mots sans faute. De plus, l'écriture a gagné en qualité et en assurance. L'élève oublie seulement d'entourer les images qui contiennent le son/i/dans un exercice.

Relevons néanmoins l'épisode des deux dernières minutes où Madame R. souligne les progrès réalisés par l'élève entre l'évaluation de départ et l'évaluation finale. Nous remarquons une nouvelle fois les difficultés de l'enfant à parler de son travail et à procéder à une analyse métacognitive de ses progrès. Timothée a été totalement incapable de comparer les deux épreuves et d'inférer son progrès à partir des deux évaluations. L'enseignante lui explique pourtant en quoi le résultat est intéressant (le progrès réalisé), mais l'enfant ne réagit pas. Il sourit seulement à la fin quand l'enseignante se résigne à le féliciter simplement. Nous avions déjà relevé au début de notre travail les difficultés d'abstraction de Timothée et la nécessité de toujours nous appuyer sur des exemples simples et concrets.

Analyse comparative des résultats

Si nous comparons les résultats obtenus ici avec les performances de l'élève lors de l'évaluation de départ, nous remarquons tout d'abord que Timothée semble travailler maintenant indépendamment du « champ », c'est-à-dire qu'il règle son comportement uniquement sur la tâche demandée et plus du tout sur les attitudes de l'enseignante. Nous avions constaté lors de l'évaluation de départ que Timothée adaptait son comportement aux déplacements de Madame R. et jouait parfaitement son rôle d'éviteur d'effort. Maintenant, il travaille sur sa fiche sans s'occuper de l'enseignante et adapte son attitude aux difficultés de la tâche. Il appelle par exemple Madame R. lorsqu'il a terminé un exercice et « s'accorde » des pauses quand il a correctement travaillé.

Nous voulons comparer également, de manière chiffrée, les résultats obtenus. Nous relevons ci-dessous le nombre de manifestations du manque de motivation lors des deux évaluations, ainsi que le temps de travail effectif.

Tableau 2

Analyse comparative

	ÉVALUATION FORMATIVE DE DÉPART	ÉVAL. FINALE
L'élève abandonne sa fiche et lève la tête	7 x	1 x
Il regarde l'enseignante ou les autres élèves	3 x	3 x
Il se ramone consciencieusement l'appendice	6 x	1 x
Il joue (avec ses cheveux, le crayon, etc.)	16 x	0 x
Il attend passivement ou rêve	7 x	2 x
TOTAL	39 x	7 x

Le total de ces manifestations du manque de motivation s'élevait à 39 lors de l'évaluation de départ et se réduit maintenant à 7. Le progrès est donc tout à fait intéressant.

Deux détails, bien qu'anecdotiques, nous semblent emblématiques des progrès réalisés lors de l'évaluation finale.

Tout d'abord, Timothée sort son mouchoir à la neuvième minute et se mouche consciencieusement. Il a donc abandonné les excursions fouisseuses de l'évaluation de départ — qui relevaient plus d'activités ludiques et jouissives que d'un réel travail sanitaire — au profit, cette fois, d'une purge énergique et salutaire. Nous avons néanmoins comptabilisé cet épisode dans les manifestations du manque de motivation.

La vingt-deuxième minute, où N., du fond de la classe, émet un bruit bizarre fournit également un exemple intéressant. Timothée réagit ici au spectaculaire borborygme sonore et enlevé de son camarade. Notre élève rêve ensuite à la qualité exceptionnelle de la prestation. Comment lui en faire le reproche alors que l'épisode a également préoccupé l'observateur froid et méticuleux qui, de sa table, pointait l'événement avec malice et empressement...

Ces deux exemples permettent donc de relativiser l'importance des manifestations du manque de motivation comptabilisées plus haut.

Nous avons également estimé le temps de travail effectif de l'élève :

TABLEAU 3

Analyse comparative

	ÉVALUATION FORMATIVE DE DÉPART	ÉVAL. FINALE
Durée totale de l'observation	35 mn	34 mn
Temps de travail effectué seul	4 mn	23 mn
Temps de travail effectué avec l'aide de l'enseignante	5 mn	1 mn
Temps de travail effectif (total)	9 mn	24 mn

Le temps de travail passe de 26 % lors de l'évaluation de départ à 71 % lors de l'évaluation finale. Plus intéressant encore, l'élève travaille seul et de son propre gré pendant 68 % du temps total, alors que seuls 11 % du temps étaient consacrés au travail individuel lors de l'évaluation formative de départ.

Nous pouvons enfin comparer le résultat de la fiche elle-même : Timothée obtient 16/21 points lors de la présente évaluation et seulement

10/21 lors de l'évaluation de départ. De plus, il ne commet aucune erreur de lecture, ni d'orthographe lors de l'évaluation finale.

Nous pouvons donc considérer l'objectif fixé comme atteint. L'enseignante a travaillé seulement pendant environ 1 minute avec Timothée et l'élève a complété toute la fiche.

Comment expliquer ce résultat — que nous osons qualifier d'exceptionnel — alors que rien n'a été fait lors de l'évaluation elle-même pour susciter la motivation de l'élève ?

Nous pourrions invoquer la qualité parfaite de notre projet et la grande sagesse de son auteur. Nous pourrions également parler, plus modestement, d'une dynamique suscitée par l'ensemble de la démarche et qui rejaillirait maintenant sur toutes les activités scolaires de l'élève. Nous pensons en réalité à un phénomène explicatif moins spectaculaire — et qui nous évitera de sombrer dans une sotte suffisance : la motivation de l'élève pour la fiche présentée relève à notre avis simplement du niveau de difficulté des exercices qui est adapté aux compétences lexiques nouvelles de Timothée. Lors de l'évaluation de départ, la fiche représentait un exercice très difficile pour l'élève, alors que, maintenant, son niveau d'expectation lui permet d'envisager l'exercice sereinement (cf. chapitre 3.3). La tâche proposée à l'élève se situe maintenant dans sa « zone proximale de développement » (Vygotsky, 1985). Nous avons également souligné, au niveau théorique, l'importance de présenter à l'enfant une tâche adaptée à ses possibilités pour susciter sa motivation (cf. chapitre 4.2 et 7).

Nous reviendrons dans la conclusion de notre travail sur la difficulté à interpréter les résultats des évaluations dans un projet consacré à la motivation. Nous verrons également pourquoi nous estimons téméraire d'invoquer le travail fourni lors des interventions pour expliquer, de manière définitive, les progrès réalisés lors de l'évaluation finale.

1.2 – Observation de l'élève lors d'une leçon collective de lecture (observation dans le milieu naturel, par enregistrement continu)

La deuxième évaluation concerne l'attitude de l'élève pendant une leçon collective de lecture. Nous n'avons pas travaillé de manière spécifique cet aspect particulier dans nos interventions, mais nous pouvons supposer que le comportement de Timothée face à la lecture a changé et que ce changement se traduit par une attitude mieux adaptée pendant les leçons de lecture également.

Déroulement

L'observation s'effectue une nouvelle fois dans les mêmes conditions que lors de l'évaluation formative de départ. Le cours se déroule en deux parties : tout d'abord, Madame S. présente à toute la classe les sons/k/et/s/de la lettre « c » ; les élèves se consacrent ensuite aux deux fiches d'application.

Nous procédons quant à nous à une observation par enregistrement continu, comme lors de la première évaluation. Nous ne présentons ici que le début de l'enregistrement (les dix premières minutes), alors que la séquence a duré 40 minutes en tout.

Temps (en mn)	Ce que dit ou fait l'enseignant-e	Ce que dit ou fait l'élève
0	Présente un transparent au rétro et demande aux élèves de lire les mots	T. lit « bocal »
1	Questionne les élèves sur la lecture de « citron » et « carotte »	Regarde l'écran et lève la main
2	Questionne T. sur le mot « citron »	Ne sait pas répondre
	Questionne les élèves sur la règle de lecture	Lève la main
3	Demande la règle de lecture du « c » à S.	Regarde l'écran et répète à voix haute la réponse de S.
4	Demande de trouver un mot qui se prononce /s/	Lève la main en appelant
	Demande à T. de monter au tableau	Entoure « cigarette » au rétro et retourne à sa place
5	Félicite T.	
	Demande à S. puis à F. de repérer le son /k/	Regarde S. puis F. ; répète les réponses de F.
6	F. reconnaît la fiche et l'enseignante explique qu'elle veut évaluer les progrès des élèves	
7	Présente les objectifs du cours et la fiche d'application	Demande si on doit entourer les mots
8	L'enseignante demande à A. de réexpliquer l'objectif du cours. A. s'exécute avec beaucoup de confusion	Regarde sa montre
9	L'enseignante présente les consignes des deux fiches	Répète les mots de l'enseignante à voix haute
	Souligne le cas particulier du « y »	Dit deux fois « comme dans Yvan » (un camarade)
10	Demande aux élèves de répéter la consigne et distribue la fiche	Se met tout de suite au travail et entoure des mots

Résultats et interprétation

Les résultats de cette deuxième évaluation sont également excellents : Timothée participe au cours, pose des questions, répond aux questions de l'enseignante, répète plusieurs fois les réponses des autres élèves, etc. Il passe ensuite à sa fiche d'application sans perdre de temps et travaille sans relâche jusqu'à la correction de ses exercices. Timothée a donc un comportement parfaitement adapté pendant les vingt premières minutes de la leçon.

Relevons en particulier son attitude de la douzième minute où S. puis N. interrompent leur travail écrit et posent à haute voix une question à l'enseignante qui se trouve à son bureau. Timothée reste plongé dans sa fiche malgré les interventions retentissantes de ses deux camarades. Son « apnée auditive » — qui lui permet de rester « plongé » dans son travail — confirme l'excellente qualité de concentration de l'élève.

De plus, Timothée est le premier à terminer sa fiche et à la présenter à l'enseignante. Il commet très peu d'erreurs malgré la rapidité d'exécution de son travail.

Nous interprétons ce bon résultat en donnant la même explication que celle apportée lors de la première évaluation : les compétences lexiques de l'élève lui permettent maintenant de participer avec enthousiasme à la leçon collective et de compléter sa première fiche avec beaucoup d'application. La tâche exigée est donc mieux adaptée à ses compétences que lors de l'évaluation formative de départ.

Si l'attitude de Timothée est idoine lors de la leçon collective — ce qui constituait l'objet de notre observation —, son comportement à partir de la vingt-deuxième minute minore sans vergogne notre enthousiasme. Le travail de Timothée lors de la réalisation de la seconde fiche laisse en effet à désirer : il s'active par intermittence tout d'abord, puis sombre dans une indolence quiète, donc coupable. L'enseignante relance son activité à la trente et unième minute. Timothée concède alors quelque effort, puis joue à nouveau avec son banc et se complaît dans une attention labile. Il travaille enfin de nouveau avec application pendant les trois dernières minutes.

Il est intéressant de relever l'attitude de Timothée à la fin du cours : il travaille en effet de nouveau avec acharnement après une période assez longue d'hibernation intellectuelle. Why ? Sont-ce là les appels insistants d'une conscience rétive à la paresse ?

En fait, nous pensons qu'il s'agit plutôt ici de « l'appel de l'écurie » dont nous parlions au chapitre 4.2.7 : c'est en effet lorsque l'enseignante annonce la dernière minute de travail que Timothée, poulain facétieux, galope à nouveau avec enthousiasme sur les landes cellulosiques de sa fiche de lecture.

En réalité, le comportement indolent de Timothée dans la deuxième partie du cours ne nous étonne pas. Aucune disposition n'est prise ici pour motiver l'élève dans la réalisation de son travail. De plus, la tâche exigée dans cette seconde fiche est difficile pour Timothée : il doit lire tout d'abord les mots, repérer les sons étudiés en fonction de la règle énoncée et enfin écrire les mots dans la bonne colonne. L'élève semble d'ailleurs nous rappeler indirectement qu'il est important de prévoir un renforcement ou de formuler explicitement le critère de réussite, lorsqu'il regarde avec insistance le panneau du « jeu de la ferme », à la vingt-neuvième minute.

Analyse comparative des résultats

Nous comparons uniquement les manifestations de la motivation de Timothée lors de la phase de leçon collective, puisque c'est d'abord son attitude dans ce type de situation qui nous intéresse ici.

Comme nous l'avons déjà relevé plus haut, l'attitude de Timothée est tout à fait adaptée dans la partie du cours consacrée à la leçon collective. De nombreuses manifestations d'inattention avaient été relevées par contre lors de l'évaluation formative de départ. Les résultats chiffrés sont les suivants :

TABLEAU 4

Analyse comparative

	ÉVALUATION FORMATIVE DE DÉPART	ÉVALUATION FINALE
Manifestations favorables		
Il regarde l'enseignante ou le rétro	3 x	2 x
Il lève spontanément la main	1 x	3 x
Il répond à une question	4 x	2 x
Il pose une question	0 x	1 x
Il intervient spontanément	3 x	1 x
TOTAL	**11 x**	**9 x**
Manifestations défavorables		
Il regarde ailleurs ou rêve	6 x	2 x
Il s'intéresse à des détails insignifiants	3 x	0 x
TOTAL	**9 x**	**2 x**

Nous devons préciser que ces chiffres doivent être interprétés en tenant compte de la durée respective des deux leçons collectives : lors de l'évaluation formative de départ, la leçon a duré 20 minutes, alors que, lors de l'évaluation finale, la partie collective de la séquence n'a duré que 10 minutes.

La comparaison est tout à fait favorable et montre que l'attitude de Timothée est beaucoup mieux adaptée. Sa motivation lors de la leçon collective semble donc bonne. Il montre 9 x (en dix minutes) des manifestations évidentes de son intérêt pour le cours et regarde seulement 2 x ailleurs pendant ce temps. Lors de l'évaluation de départ, ses manifestations du manque de motivation s'élevait à 9 (environ 4 en dix minutes) et les signes d'intérêt à 11 (5 environ en dix minutes).

Ces bons résultats ne nous autorisent néanmoins pas à supposer un progrès important de la motivation de Timothée pour la lecture. Nous savons en effet qu'il s'agit d'évaluations ponctuelles qui ne permettent pas de tirer de bilan définitif. La motivation doit se gagner dans chaque activité particulière et s'entretenir avec soin tout au long de l'année scolaire. Rien n'est jamais définitivement acquis en la matière. Nous reviendrons également sur cette importante considération lors de la conclusion de l'ouvrage.

1.3 – Le questionnaire d'attitudes

Le questionnaire d'attitudes permet d'aborder le rapport affectif que l'élève entretient avec la lecture. Nous avons particulièrement travaillé cet aspect lors des dernières interventions consacrées à la réalisation du petit livre. Néanmoins, l'ensemble des interventions devrait favoriser une approche plus affable de l'écrit.

Nous procédons donc ci-dessous à une analyse du questionnaire pour évaluer si cet objectif est atteint, puis nous comparerons les résultats obtenus avec ceux de l'évaluation formative de départ.

Résultats et interprétation

L'objectif fixé n'est pas atteint. À l'analyse du questionnaire, nous constatons que les rapports de l'enfant avec l'écrit sont donc toujours assez tendus.

La plupart des réponses négatives (cf. annexe 1, questions 3,4,5,6 et 7) correspondent à la situation de l'élève lorsqu'il prépare ses leçons de lecture. C'est donc l'aspect déchiffrement qui rebute encore beaucoup Timothée.

Sa propre image en tant que lecteur est par contre assez bonne (8, 10 et 11). Elle est particulièrement satisfaisante à l'item 11 (« quand mes camarades m'entendent lire... »). Nous pensons que l'expérience vécue par Timothée lors de la dernière intervention joue dans ce résultat un rôle capital.

La douzième réponse suscite par contre de nombreuses interrogations. Timothée a beaucoup de difficulté en effet à s'imaginer en « adulte-lecteur ». La lecture n'a-t-elle donc toujours pas pris sens pour l'enfant ? Ou celui-ci a-t-il tout simplement de la difficulté à se projeter dans un avenir lointain ? Le modèle de ses parents en tant que lecteurs permet-il l'identification souhaitée ? Il est difficile de donner une réponse définitive à ces questions. La conjonction de plusieurs facteurs est certainement en cause dans l'explication de l'attitude de l'enfant.

La réponse 13 nous laisse également songeur : pourquoi Timothée affirme-t-il se sentir « fâché » quand sa mère lui lit une histoire, alors que les informations obtenues jusqu'ici auprès de la mère confirment l'intérêt évident de l'enfant pour cette activité ? Peut-être que les rapports de Timothée avec sa mère se sont de nouveau dégradés et que l'enfant associe l'activité de lecture-plaisir à ces difficultés relationnelles. Nous aborderons de toute façon l'aspect lecture-plaisir lors de notre dernier entretien avec Madame C. Nous pourrons voir ainsi si la mère de Timothée a poursuivi cette activité avec son fils de manière satisfaisante.

Analyse comparative des résultats

Nous venons de voir que l'objectif fixé n'a pas été atteint. L'analyse comparative des résultats peut néanmoins édulcorer notre amertume. Plusieurs réponses soulignent en effet une attitude plus favorable de l'élève face à la lecture. Par exemple, Timothée est maintenant content quand il reçoit un livre en cadeau (item 2). L'ouvrage sur la ferme que lui a offert son papa à Noël a été certainement à ce propos une expérience positive pour l'enfant.

Nous avons voulu chiffrer les progrès de l'enfant en donnant à chaque « tête » une valeur (+ 2 > + 1 > 0 > – 1 > – 2) et en additionnant les résultats de l'ensemble des réponses obtenues. Lors de l'évaluation formative de départ, le total des points est de -15, alors qu'il est de -10 pour l'évaluation finale. Le progrès est donc réel, même si le résultat est toujours « négatif ».

Le progrès réalisé ne doit pas nous faire oublier les considérations d'ordre qualitatif formulées plus haut : nous avons encore un travail important à fournir pour aider Timothée à entrer réellement dans le monde de l'écrit.

1.4 – Le questionnaire de conception et de perception

Le deuxième entretien que nous avons eu avec Timothée nous a permis de vérifier si la conception que l'élève se fait de la lecture en tant qu'outil fonctionnel et si la conscience qu'il a de ses compétences dans ce domaine ont évolué depuis le début de notre projet.

Pour la conception du questionnaire et le déroulement de l'entretien, nous vous renvoyons au chapitre 10.2.4 (évaluation formative de départ).

Résultats et interprétation

Nous ne reviendrons pas sur les difficultés de l'enfant à entrer dans ce type de questionnaire (cf. chapitre 10.2.4), mais nous rappellerons simplement la prudence avec laquelle nous devons analyser les résultats de l'entretien. Les réponses contradictoires aux questions 13 et 14 (annexe 2) confirment, si besoin est, la nécessité d'une lecture circonspecte des réflexions de l'enfant : alors qu'il veut justifier l'importance de l'apprentissage de la lecture, Timothée affirme qu'il aime bien lire (question 13 ; justification), mais répond négativement à la question 14 (« aimes-tu lire ? ») sans réaliser du tout qu'il se contredit manifestement.

Les réponses aux sept premières questions nous permettent néanmoins de penser que l'objectif fixé est atteint : Timothée connaît en effet 3 supports de lecture, 3 raisons valables de lire et les 2 principales manières de lire (questions 4, 5 et 6). La réponse à la question 2 nous permet également de penser qu'il a compris que l'acte lexique est un acte de recherche de sens. Nous constatons avec satisfaction que l'élève a maintenu les acquisitions effectuées lors des trois premières interventions.

La question 11 appelle un commentaire : Timothée affirme ici qu'il « sait déjà lire des livres ». Troublé par sa réponse, nous avons rappelé à l'élève son travail dans le cahier progressif. Il nous a alors affirmé qu'il savait lire des livres puisqu'il avait lu son petit livre devant toute la classe (intervention 12).

Analyse comparative des résultats

L'analyse comparative nous autorise — toujours avec beaucoup de prudence — à penser que la conception que l'élève a de la lecture a évolué favorablement depuis le début du projet. Timothée pense en effet maintenant que « lire c'est connaître les lettres et pouvoir raconter » alors qu'il insistait uniquement sur l'importance des images au début du travail.

Il semble par contre avoir plus de difficultés à évaluer correctement ses compétences dans le domaine. Ses progrès effectifs et les encouragements reçus ont certainement contribué à fausser un peu son évaluation. Il affirme par exemple maintenant « savoir lire » (question 1) ; il trouve qu'apprendre à lire « c'est facile » (question 10) ; il affirme enfin qu'il sait déjà « lire des livres » (question 11).

Contrairement à l'évaluation formative de départ, nous avons pu aborder, lors de l'évaluation finale, les questions 8 et 9 consacrées au phénomène de l'attribution causale. Nous avons cette fois lu uniquement le début de la question sans donner à l'élève toutes les variantes. C'est en effet le nombre important de propositions qui avait troublé Timothée lors de l'évaluation de départ. À la question 8, il attribue ses difficultés de déchiffrement au texte lui-même et pense, à la question 9, qu'il est capable de réaliser une fiche de lecture « lorsqu'il travaille bien ». Ses réponses nous permettent de penser que Timothée s'attribue un certain pouvoir dans son travail de lecture et dans les progrès réalisés (sentiment de contrôlabilité). Il nous rappelle, à l'occasion de ces deux questions, le plaisir qu'il a éprouvé au « jeu de la ferme ».

1.5 – L'échelle d'appréciation de l'attitude

L'échelle d'appréciation de l'attitude nous a permis de recueillir des informations importantes auprès des enseignantes sur le comportement de l'enfant en classe. Mesdames S. et R. ont donc observé Timothée pendant deux semaines, comme lors de l'évaluation de départ, et ont complété leur échelle d'appréciation (cf. annexe 3).

Nous analysons tout d'abord les résultats obtenus lors de l'évaluation finale, puis nous les comparerons avec les échelles de l'évaluation formative de départ.

Résultats et interprétation

Les résultats de la grille de Madame S. et ceux de Madame R. sont globalement convergents. Seuls deux items (9 et 15) présentent une différence significative. Par contre, les deux grilles sont parfaitement superposables à partir de la dix-septième question (17 à 26).

Il ressort tout d'abord des deux documents que le comportement de Timothée lors des leçons collectives est toujours insatisfaisant : il participe peu au cours, pose rarement des questions et ne semble pas très attentif. Son attitude dans une tâche individuelle de lecture souffre également d'une motivation poussive : il travaille lentement, interrompt souvent son activité et attend passivement.

Timothée se met par contre assez rapidement au travail et réagit favorablement aux compliments. Il ne dérange jamais ses camarades ou ne s'oppose aux injonctions des enseignantes (fait plus facilement « le mort » que le « fou » — cf. chapitre 5.3).

En ce qui concerne l'attitude de Timothée lors des tâches individuelles de lecture, les observations des enseignantes contredisent en partie nos propres conclusions (cf. évaluation au chapitre 13.1.1). Il est difficile d'interpréter ces différences. Les observations des deux enseignantes sont certainement plus subjectives que nos propres évaluations instrumentées. Elles se fondent par contre sur une période d'observation importante (2 semaines), alors que nos évaluations sont ponctuelles. Il est une nouvelle fois difficile de dresser des conclusions définitives. Seule la confrontation des différentes informations recueillies permettra de tirer quelque enseignement de ces nombreuses évaluations. Nous tâcherons à ce propos de résumer nos observations au chapitre 13.2.

Analyse comparative des résultats

La comparaison des résultats de l'évaluation finale et de l'évaluation de départ nous rassure néanmoins quant au travail effectué. L'évolution du comportement de Timothée est en effet plutôt favorable. La plupart des items dessinent un progrès de son attitude motivationnelle. Seuls les items 1, 6, 9 et 22 accusent un recul dans le comportement de l'enfant. De plus, les deux enseignantes se contredisent aux questions 1 et 9, ce qui nous permet de relativiser la régression.

Les autres items démontrent plutôt un progrès dans le comportement de l'élève. Les résultats sont particulièrement réjouissants dans la seconde partie du questionnaire qui concerne le comportement de l'élève dans les tâches individuelles de lecture.

Nous avons voulu chiffrer les résultats des deux grilles en accordant aux progrès réalisés 1 point (par degré supérieur et par item favorable) et -1 point lors de régressions (par degré inférieur et par item défavorable). Nous obtenons les résultats suivants :

TABLEAU 5

Analyse comparative

	PREMIÈRE GRILLE	DEUXIÈME GRILLE	LES DEUX GRILLES
Items favorables(progrès)	+ 10	+ 8	+ 18
Items défavorables(régression)	− 1	− 4	− 5
Évaluation identique	13	13	26
TOTAL	**+ 9**	**+ 4**	**+ 13**

Le résultat global permet d'apprécier les progrès réalisés par Timothée dans son comportement en classe. Le nombre de réponses identiques est cependant assez important. Les résultats sont donc encourageants, sans être particulièrement spectaculaires.

Une analyse plus précise par thème permet d'affiner nos observations (deux grilles confondues) :

TABLEAU 6

Analyse comparative

	LEÇONS COLLECTIVES	TÂCHES INDIVIDUELLES	AUTRES SITUATIONS
Items favorables(progrès)	+ 3	+ 12	+ 3
Items défavorables(régression)	− 1	− 2	- 2
Évaluation identique	6	16	4
TOTAL	**+ 2**	**+ 10**	**+ 1**

Il ressort ici avec évidence que les progrès les plus importants concernent le comportement de l'élève dans les tâches individuelles de lecture. Ce résultat correspond effectivement au domaine d'intervention que nous avons privilégié dans notre projet.

Madame S. nous a confirmé oralement les progrès de l'enfant dans les travaux écrits de lecture : elle a relevé que Timothée se mettait maintenant rapidement au travail et qu'il restait longtemps concentré sur sa fiche. Elle a souligné l'intérêt évident de fixer un critère de réussite avant chaque exercice et de prévoir un renforcement à l'activité.

Nous pouvons dire en conclusion que si l'attitude de Timothée trahit encore une motivation hésitante, elle manifeste cependant une amélioration sensible depuis le début de notre projet.

1.6 – Entretien dirigé avec la mère

Nous avons rencontré une dernière fois la maman de Timothée pour tirer un bilan de l'expérience de collaboration et compléter la feuille de « l'entretien dirigé » (cf. annexe 4).

Nous avons tout d'abord souligné les progrès de l'élève en lecture en montrant à Madame C. les évaluations formatives de départ et les évaluations finales. Elle a pu ainsi mesurer elle-même les progrès réalisés.

Nous avons également présenté le petit livre de Timothée et expliqué à sa maman les objectifs du travail. En fait, Madame C. connaissait déjà le document qu'elle avait reçu en cadeau de la part de son fils.

Nous avons pu aborder ensuite « l'entretien dirigé » qui nous a permis de parler à nouveau des deux objectifs que nous nous étions fixés : la gestion autonome des tâches à domicile et les périodes de lecture-plaisir vespérales.

Résultats, interprétation et analyse comparative des résultats

Les tâches à domicile se déroulent toujours de manière satisfaisante. Madame C. se contente, comme convenu, de rappeler simplement à Timothée qu'il a peut-être un travail à réaliser ou une leçon à apprendre. Elle est satisfaite du comportement de l'enfant qui travaille maintenant volontiers seul et reste concentré sur sa tâche (question 4 de la fiche d'entretien dirigé).

Selon Madame C., Timothée se sent maintenant responsable de ses devoirs et leçons. Il demande de l'aide à sa maman si nécessaire, mais travaille généralement tout seul dans sa chambre (questions 3, 4 et 6). Le temps consacré aux tâches est d'ailleurs maintenant de 10 à 15 minutes, alors que la maman nous avait affirmé, lors de l'évaluation de départ, que Timothée ne consacrait à son travail « pas plus de 5 minutes » ; de plus, elle avait tout de suite rajouté « ...lorsqu'il accepte de travailler ». Madame C. paraît vraiment soulagée par les dispositions prises ; elle nous rappelle qu'avant « c'était la galère avec ses travaux » et que maintenant les tâches à domicile ne sont plus source de conflits.

Quant à la lecture-plaisir, elle s'est déroulée à la satisfaction de la mère et de l'enfant jusqu'à Noël. Depuis la reprise de janvier, le projet a par contre été abandonné, plus par négligence, semble-t-il, que par manque d'intérêt.

Nous pouvons relever également l'attitude plus familière de l'enfant avec le monde de l'écrit. Timothée s'intéresse maintenant à certains supports comme le journal — que le nouvel ami de sa mère laisse parfois traîner sur la table — ou les publicités de la boîte aux lettres. Il ne feuilletait que des livres d'images au début de notre projet. Il semble prendre conscience maintenant de l'existence de supports lexiques signifiants et variés.

Nous pouvons souligner à ce propos — à notre grande satisfaction — que l'écrit semble avoir investi la maison de la famille de Timothée, certainement grâce à la présence de l'ami de Madame C.

Nous pouvons enfin déplorer l'attitude toujours très agressive de Timothée en présence de sa mère. Par exemple, l'enfant ne lui a pas obéi quand elle lui a demandé, à plusieurs reprises, de nous laisser seuls pour l'entretien. Il a donc assisté à notre discussion, couché sur le carrelage de la cuisine, et a traité plusieurs fois sa maman de « menteuse » en interrompant malhonnêtement la conversation. D'après l'entretien que les enseignantes ont eu avec le psychologue, une thérapie familiale est maintenant envisagée pour traiter ces problèmes.

1.7 – Évaluation des compétences lexiques

Nous avons voulu également évaluer les compétences lexiques de Timothée à la fin du projet. Comme nous l'avons déjà signalé, nous pensons que l'évaluation des progrès de l'élève dans la branche elle-même est un moyen très intéressant de mesurer indirectement l'importance de sa motivation pendant le projet.

Le test est progressif : les exercices 1 et 2 concernent principalement la lecture des lettres, les fiches 3 et 4 abordent les mots et les dernières épreuves évaluent la lecture de phrases. La construction du test reprend donc le découpage du cahier progressif.

Lors de la passation des exercices, nous avons lu les consignes à l'élève et donné chaque fois un exemple. Nous sommes ensuite resté près de l'enfant, sans intervenir dans son travail. Nous respectons ainsi les conditions posées lors de l'évaluation de départ.

Résultats et interprétation

La technique de déchiffrement pose toujours des problèmes importants à l'élève. La lecture globale de mots est pratiquement inexistante. Timothée procède à une reconnaissance de lettres ou de digraphes qu'il fusionne dans un deuxième temps pour accéder au sens.

Nous avons néanmoins observé une amélioration sensible de la vitesse de lecture. Timothée comprend par conséquent plus facilement ce qu'il lit. Nous savons en effet l'importance de la vitesse de déchiffrement dans la construction du sens (Charmeux, 1987).

Les résultats chiffrés confirment le phénomène : Timothée obtient 18/21 points aux exercices 1 et 2 (lettres) et 7/9 points dans la lecture de mots. On peut donc affirmer que Timothée accède maintenant sans difficulté à la signification des mots.

La lecture de phrases demande néanmoins encore beaucoup d'efforts à l'élève. Les exercices sans support d'images posent des difficultés importantes (exercices 6 et 8). La lecture de paragraphe (exercice 10) est encore un exercice trop difficile pour Timothée. Dans cet exercice, il s'est contenté de lire les mots clés, mais n'a pas respecté la consigne dans son ensemble.

Son attitude face au déchiffrement a changé par contre : il persévère maintenant dans sa lecture et travaille jusqu'à l'accès au sens. S'il bute sur un mot qu'il déchiffre mal, il le relit. Le nombre de méprises inacceptables quant au sens a donc fortement diminué. Timothée profite donc maintenant d'une meilleure « clarté cognitive » de l'acte lexique (Downing et Fijalkow, 1990) et a compris l'importance de la compréhension en lecture.

L'élément le plus intéressant de cette évaluation ne réside cependant pas dans les performances purement lexiques de l'élève, mais dans son comportement face à la tâche. Timothée est en effet resté plongé dans ses exercices et a travaillé avec beaucoup d'application. Sa concentration était bonne durant la réalisation de l'ensemble des fiches. Son attention était moins labile que lors de l'évaluation formative de départ. Madame S. a d'ailleurs confirmé notre impression en relevant qu'en classe également la capacité de travail de Timothée était meilleure. Néanmoins, notre présence, bien que passive, a certainement joué un rôle dans la qualité d'attention de l'élève.

Analyse comparative des résultats

La comparaison des résultats de cette évaluation avec ceux de l'évaluation de départ nous permet d'évaluer les progrès de l'élève en lecture.

Les résultats par exercice sont les suivants :

TABLEAU 7
Analyse comparative

	ÉVALUATION FORMATIVE DE DÉPART	ÉVALUATION FINALE
EXERCICE 1	8/9	8/9
EXERCICE 2	6/12	10/12
EXERCICE 3	3/5	5/5
EXERCICE 4	2/4	2/4
EXERCICE 5	6/6	5/6
EXERCICE 6	3/5	4/5
EXERCICE 7	2/5	3/5
EXERCICE 8	1/5	2/5
EXERCICE 9	0/4	1/4
EXERCICE 10	0/5	2/5
TOTAL	**31/60**	**42/60**

Ce petit exercice de comparaison nous permet de constater tout d'abord que les 10 épreuves proposées constituaient bien une progression dans les difficultés. Timothée obtient en effet de moins en moins de points dans les derniers exercices et ceci dans les deux évaluations.

Nous remarquons également dans les deux épreuves que les résultats sont bons jusqu'à l'exercice 5. Comme nous le signalions plus haut, la lecture de mots et de phrases simples avec illustrations ne représente plus de difficultés majeures pour l'élève.

La comparaison entre les résultats au début et à la fin du projet nous permet d'évaluer les progrès réalisés : les résultats sont supérieurs dans 7 exercices, identiques dans 2 exercices et inférieurs dans un seul exercice. Le résultat global est de 31/60 lors de l'évaluation formative de départ et de 42/60 lors de l'évaluation finale. Nous attribuons ce progrès intéressant au travail important fourni par les enseignantes pour susciter la motivation de Timothée. L'élève semble effectivement avoir répondu favorablement aux situations proposées puisqu'il progresse de manière très satisfaisante. Précisons en effet ici que les douze interventions du projet se sont déroulées sur moins de deux mois.

Nous pouvons également confirmer de manière chiffrée les progrès de l'élève dans la compréhension. Les exercices 3 à 10 font tous appel à la compréhension sous une forme ou sous une autre. Or, également ici, les progrès sont intéressants : alors que Timothée obtenait seulement 17/39 dans ces exercices, son résultat est maintenant de 24/39. Son souci de construire du sens ressort donc avec évidence. En paraphrasant Charmeux (1987, p. 105), on peut affirmer que la lecture de Timothée est maintenant « tournée vers le sens ».

Relevons enfin la qualité de l'écriture dans l'exercice 2 de l'évaluation finale. Les lettres sont formées correctement, le geste semble mieux maîtrisé, les inversions et les confusions de sons de l'évaluation de départ ont disparu. Nous pouvons supposer que le travail entrepris lors des trois premières interventions (rôle social de l'écrit) a favorisé également une meilleure conscience de l'importance de l'apprentissage de l'écriture, et non seulement de la lecture.

À la fin de l'évaluation, nous avons présenté à Timothée les fiches réalisées lors de l'évaluation de départ et nous lui avons montré le travail accompli depuis le début de notre projet et les progrès réalisés.

2

PRÉSENTATION SYNTHÉTIQUE DE L'ENSEMBLE DES RÉSULTATS

Pour clore ce chapitre consacré à l'évaluation finale, nous allons souligner rapidement les principales conclusions que nous pouvons tirer de cette très longue évaluation.

Tout d'abord, nous pouvons rappeler que deux objectifs importants ont été atteints : la motivation de l'élève s'est révélée tout à fait correcte lors de la tâche individuelle de lecture de la première évaluation. La conception que l'élève se fait maintenant de la lecture en tant qu'outil fonctionnel est également satisfaisante. Par contre, le rapport affectif que Timothée entretient avec la lecture est toujours orageux (troisième objectif important).

Lors de la deuxième évaluation, le comportement de l'enfant en situation de leçon collective s'est révélé adapté. Les manifestations présentées permettent de supposer que l'élève a montré une motivation importante pendant le cours. L'évaluation faite par les enseignantes (cf. chapitre 13.1.5) nous oblige néanmoins à nuancer le propos : en général, Timothée intervient rarement pendant les cours et montre peu d'intérêt dans les leçons collectives.

Les évaluations nous ont permis de souligner également l'importance capitale de la réussite dans le comportement motivationnel de l'élève : Timothée a toujours travaillé avec application lorsque les exercices proposés pouvaient entrer dans son propre niveau d'expectation (cf. chapitre 3, composante 3) et lorsque ses tâches se situaient dans sa « zone proximale de développement » (Vygotsky, 1985).

La quatrième évaluation nous a montré que l'élève avait une image peu réaliste de ses compétences en lecture. Il surévalue ses capacités. Le questionnaire de conception et de perception nous a permis de relever également que l'enfant n'est pas résigné face à ce difficile apprentissage de la lecture.

Nous voulons souligner aussi les progrès intéressants, sans être spectaculaires, de l'élève dans l'apprentissage de la lecture elle-même.

Néanmoins, les résultats les plus probants concernent certainement l'attitude de l'enfant dans la gestion de ses tâches à domicile. Timothée se sent maintenant responsable de son travail et gère ses devoirs et leçons de manière autonome. Nous sommes particulièrement satisfait de ce résultat qui a permis de soulager Madame C. et d'éviter de nombreux conflits entre la mère et l'enfant.

Nous pouvons affirmer en conclusion que la motivation de l'élève en lecture était meilleure lors de l'évaluation finale que lors de l'évaluation formative de départ, même si son maintien suscite encore de nombreuses interrogations.

CHAPITRE

14

Discussion

1

ANALYSE CRITIQUE DE L'EFFICACITÉ DU PROJET

L'expérience que nous venons de vivre dans ce projet a exigé beaucoup d'énergie et de travail de la part de chacun des partenaires.

Timothée, tout d'abord, a été très fortement sollicité pendant toute la durée du projet. Nous sommes satisfait des résultats obtenus avec lui. Les progrès que nous avons constatés plus haut sont probants, même s'il reste encore beaucoup à faire pour rendre ses compétences lexiques fonctionnelles. De plus, il a montré beaucoup d'intérêt pour les démarches proposées. Le plaisir éprouvé par l'enfant dans le jeu de la ferme ou dans la réalisation de son petit livre est difficile à traduire par des évaluations instrumentées. Il était néanmoins évident pour nous tout au long du projet.

Les enseignantes ont également collaboré avec enthousiasme à notre démarche. Nous devons les remercier pour l'engagement total qu'elles ont montré dans l'utilisation des moyens que nous leur avons proposés. Sans elles, nous n'aurions jamais pu réaliser notre projet de manière satisfaisante.

La collaboration avec la mère de Timothée s'est également déroulée sans difficulté. Madame C. a toujours été très disponible lors de nos entretiens et a participé à notre projet avec intérêt.

La première partie de l'ouvrage nous a permis de construire un projet en nous référant constamment aux apports théoriques déterminants de la psychologie dans le domaine de la motivation. Ainsi, nous avons pu, par exemple, nous appuyer sur les théories récentes de la psychologie cognitive lors des premières interventions. L'approche béhavioriste nous a beaucoup aidé à construire notre cahier progressif et à élaborer le « jeu de la ferme ». Nous avons pu partir également de la motivation intrinsèque de l'élève en nous inspirant des recommandations de l'approche humaniste. La théorie de la motivation humaine de Nuttin nous a enfin permis d'inscrire toutes les démarches envisagées dans une dynamique de projet.

Nous aimerions soulever maintenant quelques points importants abordés dans le projet avec Timothée.

Tout d'abord, nous avons pu découvrir, dans le cadre de la collaboration avec la famille, l'intérêt de rencontrer les parents chez eux. La visite à domicile permet en effet de recueillir de nombreuses informations qui échappent sinon à l'analyse. Par exemple, le comportement excentrique de Timothée s'exprime seulement à la maison, en présence de sa maman, et jamais à l'école. Nous avons de plus fait la connaissance de la grande sœur de Timothée et de l'ami de Madame C. en nous rendant à la maison. L'organisation du cadre de vie de la famille C. nous a permis également de mieux comprendre l'intérêt limité de Timothée pour l'apprentissage de la lecture.

Les enseignantes ont beaucoup apprécié — comme Timothée d'ailleurs — le « jeu de la ferme ». Son utilisation simple et son efficacité l'ont rendu sympathique. Le jeu a d'abord été un outil de renforcement intéressant que les enseignantes ont d'ailleurs utilisé dans de nombreuses activités autres que la lecture. De plus, le jeu a obligé l'élève à lire une liste de prix. Le travail de comptage des jetons a ainsi permis à Timothée de se familiariser avec des calculs simples dans une situation signifiante. Le succès de ce matériel est certainement dû également au choix du thème de la ferme qui correspond aux motivations intrinsèques de l'élève.

Madame S. relève quant à elle une condition indispensable à la réussite du projet : elle insiste en effet sur l'influence déterminante de l'affectif sur le cognitif et sur l'impérative nécessité — surtout chez un enfant aussi sensible que Timothée — d'assurer une sécurité psychologique minimale. Dans ce projet, l'école a pu répondre à de nombreux besoins fondamentaux de Timothée. L'ambiance de classe très favorable a permis de donner à l'enfant les besoins d'amour, de sécurité, de réussite, de partage, etc. qui permettent de « construire une motivation existentielle préalable à la motivation scolaire « (cf. chapitre 4.3.2).

2

MOTIVER : UN PROJET DE L'ICI
ET DU MAINTENANT

La principale difficulté que nous avons rencontrée dans la conduite du projet concerne très certainement la définition du concept de motivation. Nous avons d'ailleurs signalé dès l'introduction le malentendu qui s'installe inévitablement quand on parle de motivation. En réalité, cette ambiguïté nous a accompagné tout au long du travail avec Timothée. Il s'agit en fait d'une notion qui tient un peu du mirage : plus on s'en approche et moins elle est évidente. Nous verrons en réalité qu'il s'agit, paradoxalement, de s'en éloigner pour mieux s'en approcher.

Nous désirons par conséquent donner, en conclusion de cet ouvrage, un éclairage nouveau sur cette difficile notion et apporter quelques précisions sur les problèmes liés à une intervention dans le domaine de la motivation.

Comme nous l'avons déjà précisé en introduction, le premier écueil consiste certainement à s'enfermer dans un paradoxe du type « sois spontané » (Watzlawick, 1972 et 1975). La situation dans laquelle se trouvent l'enseignant et l'élève en matière de motivation correspond parfaitement à la catégorie du « paradoxe pragmatique » tel que l'a décrit l'école de Palo Alto. L'injonction paradoxale « sois motivé » comporte tous les éléments d'une « double contrainte ».

Tout d'abord, la relation entre l'enseignant et l'élève est de type « complémentaire ». Elle exige donc que l'élève se soumette aux injonctions de l'enseignant et interdit à l'élève de contester la pertinence des propos de l'adulte. La situation ne peut donc être évitée.

Ensuite, l'enseignant exige de l'élève un comportement qui devrait être par nature spontané. La motivation naît en effet d'un élan du cœur, d'un désir profond et ne saurait donc s'exprimer sur commande. Comme le relève Lobrot (1996), « on exige de l'élève de mettre en place un processus interne qui a des exigences intrinsèques, qui ne dépend pas de sa bonne volonté, et qui réclame impérativement l'intervention du plaisir, c'est-à-dire cette spontanéité qui permet l'invention » (p. 17).

C'est donc précisément parce qu'il est exigé que ce comportement ne peut être spontané. Comme le précise Watzlawick (1991, p. 27), « le destinataire se trouve pris dans une situation intenable où il devrait faire spontanément quelque chose que l'on *exige* de lui, ce que non seulement la simple logique mais aussi la nature de la communication humaine excluent ».

En réalité, l'élève ne peut réagir que de deux façons — insatisfaisantes de toute manière — à l'injonction « sois motivé » : soit il reste passif et ne montre aucun signe de motivation, donc désobéit à l'enseignant et fait preuve d'insoumission, soit il obéit et traduit sa motivation par des manifestations idoines, auquel cas on lui reprochera son manque de spontanéité et son comportement d'histrion. L'enseignant a effectivement souhaité ce changement d'attitude, mais il l'eût désiré spontané et non commandé. L'élève « agit bien, mais pour de mauvaises raisons » (*op. cit.*, p. 212).

L'enseignant ne peut donc pas être satisfait par l'attitude de l'élève qui, « pour obéir, devrait être spontané par obéissance, donc sans spontanéité » (1972, p. 200). De plus, même si le comportement de l'élève semble spontané, on peut toujours le suspecter de simuler des manifestations qui, comme nous l'avons déjà vu à plusieurs reprises, semblent traduire une attitude motivée, mais qui expriment en réalité un simulacre de motivation. Nous avons décrit avec Timothée, lors de l'évaluation formative de départ (cf. chapitre 10.2.1), le jeu — dans le sens théâtral du terme — que l'élève a développé pour créer l'illusion d'une attitude motivée.

Lors de l'introduction, nous avions proposé de quitter le paradoxe en choisissant de travailler sur une branche particulière, la lecture. Nous respections en cela la proposition de Watzlawick *et al.* (1972, p. 235), qui affirment « qu'aucun changement ne peut se faire de l'intérieur : si un changement est possible, il ne peut se produire qu'en sortant du modèle ». En abandonnant donc un travail immédiat sur la motivation, nous pouvions envisager des pistes d'intervention réalistes et efficaces. Nous quittions donc effectivement le paradoxe en ne nous occupant plus de motivation en tant que telle, mais de l'objet dans lequel celle-ci « s'incarnerait », la lecture.

Un autre aspect intéressant du modèle paradoxal « sois spontané » réside dans ce que Watzlawick appelle « l'offre aveugle et générale d'un comportement » (1978, p. 29). Avec la motivation, cette offre conduit également à une impasse. Dans notre travail d'enseignant d'appui, nous avons dû souvent essuyer des demandes aveugles et générales. Les titulaires nous confient en effet régulièrement des élèves pour « manque de motivation » en espérant que notre intervention permettra de résoudre le problème et donc de les « motiver ». En fait, cette suggestion laconique cache justement une demande aveugle et générale. Que signifie « motiver l'élève » ? S'agit-il de le motiver pour l'école ? Si oui, que se cache-t-il derrière la motivation scolaire ?

La confusion du concept apparaît une nouvelle fois et ne permet pas un contexte d'intervention valable. Il appert de nouveau que le problème doit être circonscrit. Dans quelle situation, au sujet de quelle branche, avec quel enseignant, etc. l'élève est-il peu motivé ?

Tout projet de motivation doit par conséquent se développer dans un « lieu d'incarnation » précis. Pour Timothée, ce « lieu » était la lecture. Nous nous sommes néanmoins aperçu assez rapidement que le choix d'un « lieu » était en fait insuffisant et que le travail sur la motivation exigeait de plus le choix d'un « temps d'incarnation » précis. « Motiver l'élève pour la lecture » est une demande moins générale que « motiver l'élève pour l'école », mais elle souffre néanmoins d'une cécité partielle qui rend à nouveau l'offre aveugle.

Par conséquent, le projet de motiver l'élève pour la lecture doit s'exprimer plus précisément dans des objectifs opérationnels définis pour chaque activité. Il s'agira par exemple de favoriser la motivation de l'élève lors de la réalisation de la fiche « x », en utilisant des contingences de renforcement « y », adaptées à la situation présente « z ».

Le projet de motivation est donc un projet de l'ici (« lieu d'incarnation ») et du maintenant (« temps d'incarnation »). Quand il parle de la « motivation à apprendre », Perrenoud souligne également la nécessité de travailler « dans une perspective constructiviste et stratégique » (1994, p. 164). Il souligne aussi que le sens se construit « sur le vif, en situation » et qu'il n'est « pas donné une fois pour toutes ». Viau (1997) développe la même idée en précisant « qu'une personne n'est pas en elle-même motivée à tout faire, en tout temps et en tout lieu, mais qu'elle est plutôt motivée par une matière et par les activités d'enseignement et d'apprentissage qui s'y rattachent » (p. 31). Il n'existe donc pas d'élèves motivés par nature, ni de situations intrinsèquement motivantes. Le « tableau motivationnel » est donc toujours « un instantané du rapport entretenu par un sujet avec une formation spécifique à un moment donné de son histoire, à partir de motifs variés et relatifs à la fois au contenu proposé et à sa perception de leur valeur » (Carré, 2001, p. 187).

À ce propos, Archambault et Chouinard (1996) et Fenouillet (2003) établissent une distinction entre la *motivation* et l'*intérêt*. Pour eux, l'intérêt a un contenu spécifique : il est toujours relié à un sujet, à une activité ou à une tâche spécifique. Il n'est pas un trait de personnalité, mais s'actualise dans l'apprentissage d'une matière ou dans une activité spécifique. Il peut également être passager ou durer, spécifique à une tâche ou plus général et concerner l'ensemble d'une matière. Notre approche de la motivation est donc assez proche du concept d'intérêt proposé par ces auteurs. Nous pensons également que le niveau de motivation peut varier chez l'élève — et entre les élèves — selon les moments et les circonstances. Pour B. André (1998) également, la motivation est « un état dynamique, parce que susceptible de varier dans le temps et au gré des matières étudiées » (p. 16).

L'intervention dans le domaine de la motivation doit donc se réaliser au coup par coup, dans l'ici et le maintenant. L'élève ne sera jamais motivé « une fois pour toutes ». L'objectif en soi ne sera donc jamais atteint. Ce qui rend le domaine particulièrement éprouvant, ce n'est pas l'insatisfaction liée à ce phénomène, mais l'illusion que l'objectif sera un jour atteint de manière définitive.

De même, ce qui rend aussi pénible le travail de l'enseignant dans le domaine de la motivation, c'est l'illusion que l'on pourrait atteindre cet objectif de manière définitive et spectaculaire. Comme le relève Giordan (1998), « il nous faut tordre le cou à une idée fréquente chez tout parent ou tout enseignant en matière d'éducation : l'idée que l'on peut trouver à coup sûr une solution pédagogique simple, définitive, complète et valable pour tous les moments et tous les individus » (p. 96). Si l'enseignant est par contre conscient qu'il doit travailler toujours dans l'ici et le maintenant, la tâche est délimitée et l'effort devient tout à fait acceptable.

Une fois le domaine de travail circonscrit par le choix d'un lieu et d'un temps d'intervention, le projet peut se développer normalement et permet d'envisager des pistes de travail efficaces. Mais tous les problèmes ne sont pas résolus pour autant.

Nous aborderons tout d'abord la difficulté, maintes fois signalée, à établir un lien évident entre une manifestation supposée de l'attitude motivée et la motivation elle-même : comment en effet observer directement la motivation d'une personne ? Si l'élève réalise par exemple rapidement un exercice, on peut imaginer qu'il est motivé par l'exercice lui-même et travaille donc avec acharnement, mais on peut également penser qu'il est pressé de terminer sa fiche qui ne l'intéresse pas du tout (« comme ça, je pourrai rapidement me consacrer à ce qui m'intéresse »).

Dans ce sens, « l'attitude motivée » n'est pas une attitude au sens donné par Morissette et Gingras dans leur ouvrage (1989). En effet, l'attitude motivée ne se vérifie pas directement par des manifestations concrètes précises. Il existe ici un saut qualitatif. Ce n'est pas parce l'élève peut expliciter, par exemple, la stratégie efficace pour réaliser une tâche qu'il sera *nécessairement* motivé. Il s'agit dans ce cas d'une condition favorable à la motivation de l'élève et non d'une manifestation comme l'entendent Morissette et Gingras. Par contre, si l'on travaille par exemple sur l'attitude du « respect de la nature », le fait de jeter ses déchets dans une poubelle lors d'un pique-nique est une manifestation évidente et directement observable d'une attitude de respect de la nature.

Nous avions d'ailleurs distingué, lors de la formulation des objectifs du projet (cf. chapitre 11), différents niveaux qui permettent de mieux comprendre le « saut qualitatif » dont nous venons de parler. Rappelons ici la distinction importante que nous établissons entre les **compétences** acquises par l'élève lors des interventions, les **moyens** — dans le sens d'outils — de motivation, les **conditions** d'une possible motivation, les **manifestations** possibles de sa motivation et enfin **l'attitude motivée** elle-même.

Lorsque nous avons travaillé, par exemple, avec Timothée sur les fonctions sociales de l'écrit (interventions 1 à 3), nous avons permis à l'enfant de mieux comprendre l'importance de l'acquisition de la lecture. Nous nous situons donc ici dans la mise en place de **conditions** favorables à une possible motivation. Le fait que l'élève puisse citer par exemple trois supports de lecture ne garantit en rien qu'il sera motivé pour l'apprentissage de la lecture. Il ne s'agit donc pas d'une manifestation de sa motivation, ni a fortiori d'une attitude motivée. Nous pouvons donc souligner ici *l'impouvoir* de l'enseignant qui peut seulement organiser les conditions d'une possible motivation sans jamais pouvoir garantir *a priori* que ces conditions motiveront effectivement l'enfant [1].

Si nous envisageons maintenant le travail réalisé par Timothée dans son cahier progressif, nous constatons que l'élève a acquis certaines **compétences** lexicales qui sont favorables à sa motivation dans le domaine de la lecture. Mais ici également, ses progrès en technique de lecture ne correspondent ni à des moyens de motivation, ni à une manifestation de sa motivation.

Lorsqu'enfin, nous avons mis en place le « jeu de la ferme », nous avons travaillé à l'aide d'outils de motivation qui ne sont que des **moyens** permettant de renforcer le comportement de l'enfant. Les réactions de l'enfant à ces contingences de renforcements ne peuvent en aucun cas être qualifiées de manifestations de sa motivation, ni d'ailleurs de compétences, de conditions ou d'attitude motivée.

Ces quelques exemples nous permettent de mieux comprendre le risque important de confusions qui peut s'introduire dans la compréhension du concept de motivation. La clarification de ces différents niveaux nous semble déterminante pour effectuer les bons choix lors des interventions et lors des différentes évaluations.

Viau (1997) relève également l'importance de clarifier le concept pour expliquer la dynamique motivationnelle. Il parle à ce propos de « déterminisme réciproque » et montre qu'une composante pouvait être une cause d'un phénomène et devenir par la suite effet de celui-ci : « Nous avons défini les indicateurs de la motivation comme des effets de la motivation, mais à une étape finale de la dynamique motivationnelle ils deviennent des causes, car ils influencent, par l'intermédiaire de la performance, les perceptions de l'élève. Ces dernières, étant influencées par les indicateurs, deviennent à leur tour des effets de la

---

1. Nous pensons que l'enseignant doit effectuer à ce propos un deuil important (organiser des conditions favorables à la motivation, mais sans aucune garantie d'efficience), qui concerne non pas uniquement la motivation, mais également l'apprentissage lui-même (la situation d'enseignement-apprentissage organisée par l'enseignant ne garantit jamais — automatiquement et « inconditionnellement » — l'apprentissage des élèves). Comme le relève Caudron (2004), « il faut être bien naïf pour oublier que le choix d'apprendre appartient à l'élève et non à l'enseignant. Aussi important soit-il, le rôle de ce dernier ne va pas au-delà de l'installation des conditions les plus favorables à l'apprentissage » (p. 151).

motivation » (p. 35). Legrain (2003) parle à ce propos de « processus récursif » : les déterminants et les indicateurs sont alternativement causes et effets (p. 129).

D'autres difficultés sont apparues également lors de l'évaluation finale. Les problèmes que nous allons évoquer maintenant sont en lien direct avec les précisions sur le concept que nous venons d'apporter.

Nous nous sommes demandé tout d'abord si les trois principaux « temps » prévus pour le projet (évaluation de départ -> interventions -> évaluation finale) se justifiaient dans un travail sur la motivation. L'impérative nécessité de travailler dans l'ici et le maintenant rend caduque toute planification dans le « temps ». Comment en effet évaluer les progrès accomplis par l'élève *a posteriori* — lors de l'évaluation finale — alors que nous avons précisé plus haut que l'intervention dans le domaine de la motivation devait s'incarner dans un « lieu » et un « temps » déterminés ?

Nous pensons à ce propos que les évaluations effectuées lors de chaque intervention — notamment par les enseignantes titulaires — sont tout autant informatives que la très lourde évaluation finale [2]. Nous distinguerons néanmoins les instruments d'évaluation utilisés avec l'élève des autres questionnaires (échelles d'appréciation de l'attitude et entretien dirigé avec la mère). Ces derniers permettaient en effet une évaluation rétroactive et une analyse par les adultes du comportement de l'enfant pendant le déroulement même du projet. L'observation de l'élève lors de l'évaluation finale nous semble par contre plus difficile à interpréter puisqu'elle vise à évaluer après coup le comportement de l'enfant : il nous paraît en effet illusoire d'imaginer que l'élève puisse être motivé par la fiche prévue pour l'évaluation finale alors que rien n'est fait au moment même de l'évaluation pour le motiver.

L'interprétation de l'évaluation finale a également été rendue difficile par la distance établie entre les items choisis et l'attitude motivée elle-même. Il s'agit ici à nouveau de notre fameux « saut qualitatif » entre les comportements observables de l'élève et sa motivation profonde.

Lorsque nous questionnons par exemple l'élève sur ce qu'il sait de ses compétences et sur l'importance de la lecture, nous n'évaluons que très indirectement sa motivation. De même, lorsque nous observons les réactions de l'enfant aux contingences de renforcements, nous ne savons rien de l'intérêt réel qu'il porte à la tâche elle-même, etc. Nous avons déjà apporté plus haut plusieurs exemples liés à cette difficulté. Nous ne nous attarderons donc pas plus longtemps sur ce problème.

---

2. À ce propos, le lecteur aura relevé avec pertinence que les étapes d'évaluation proposées dans cet ouvrage sont souvent très lourdes à réaliser. Un enseignant dans sa classe ne pourra, évidemment, y consacrer autant de temps. Nous pensons néanmoins que la phase d'évaluation ne doit pas être négligée, mais peut s'intégrer à la dynamique de la classe de manière beaucoup plus interactive — comme l'ont fait les deux enseignantes participant au projet.

Nous désirons enfin conclure cet ouvrage en posant, en perspective, une dernière question : nous avons effectivement pu échapper au paradoxe du « sois motivé » en travaillant dans l'ici et le maintenant dans une branche scolaire bien précise. Cette option a permis un changement réel d'attitude de l'élève. Nous nous demandons néanmoins si le type d'intervention opéré est le seul qui soit possible.

Nous avons en effet l'impression que le changement réalisé est, pour reprendre la terminologie utilisée par l'école de Palo Alto, un « changement 1 » (1975, p. 29). En quittant le paradoxe « sois motivé » et en travaillant dans un domaine scolaire spécifique, nous nous sommes peut-être enfermé dans une forme de changement limitée.

Le modèle proposé par Watzlawick est, à ce propos, éclairant. Le « changement 1 » s'appuie, pour cet auteur, sur le « bon sens » et utilise des recettes du genre « plus de la même chose ». Lors de nos interventions, nous sommes souvent resté sur des propositions — bien qu'éclairées par notre support théorique — qui relevaient du « bon sens ». Nous avons par exemple usé abondamment de contingences de renforcements en les organisant scrupuleusement, alors que jusque-là les enseignantes avaient renforcé l'élève occasionnellement et intuitivement. La solution envisagée correspond bien ici à « plus de la même chose ». De même, notre cahier progressif visait à favoriser un travail intensif et motivant dans le domaine de la lecture. Là encore, le « bon sens » a prévalu et a permis un changement intéressant — mais limité — et correspondant à nouveau à un « changement 1 ».

Le « changement 2 » permet par contre de « recadrer » la situation et provoque ainsi un changement radical et souvent spectaculaire du comportement. Selon Watzlawick *et al.* (1975), le « changement 2 » paraît « bizarre, inattendu, contraire au bon sens » (p. 103). Les auteurs expliquent la technique du recadrage en précisant qu'elle consiste à « modifier le contexte conceptuel et/ou émotionnel d'une situation, ou le point de vue selon lequel elle est vécue, en la plaçant dans un autre cadre qui correspond aussi bien, ou même mieux, aux « faits » de cette situation concrète, dont le sens, par conséquent, change complètement » (p. 116).

Plusieurs propositions, émises dans notre cadre théorique, relèvent de cette démarche. Nous pensons notamment au très intéressant « contrat de paresse » décrit par Moyne (cf. chapitre 4.5.5). L'auteur propose en fait de « réveiller la léthargie de l'élève en piquant au vif son amour-propre endormi et en lui lançant le défi paradoxal du raisonnement par l'absurde : « Tu n'oses pas tenter le coup. Essaie. Je t'aiderai même. Sois paresseux ! » (1992, p. 28). En réalité, l'auteur suggère aux élèves intéressés de conclure avec lui un « contrat de paresse », dans les situations ou les périodes où les élèves ont vraiment envie de ne rien faire. Pour Moyne, la situation de l'élève qui ne travaille plus du tout est fascinante parce qu'elle n'est jamais réalisée. Elle se révèle rapidement être un leurre lorsqu'on l'expérimente concrètement. L'auteur constate que la situation de l'élève devient très vite intenable : « Il eut du mal à tenir la semaine entière ; encore fallut-il lui rappeler le contrat et presque l'aider à l'observer : « Mais tu avais promis de ne rien faire et je te vois essayer de travailler » !

Une autre « conversion » spectaculaire est relatée par Dolto dans un exemple devenu classique. Dans son ouvrage sur l'échec scolaire (1989), elle cite le cas d'un élève qui refusait d'apprendre à lire parce qu'il confondait le mot « lit » — désignant dans sa tête le lit parental — avec la forme conjuguée du verbe « lire » à la troisième personne du singulier. La remédiation a consisté à chercher la signification de chacun des mots dans le dictionnaire !

Sans tomber dans le gadget pédagogique, nous pensons qu'une intervention qui permettrait de recadrer la situation et d'envisager les difficultés de motivation plus globalement pourrait apporter des solutions très intéressantes au problème. L'approche systémique, par exemple, permet souvent d'envisager des solutions originales aux problèmes scolaires en favorisant un regard nouveau sur les difficultés de l'enfant. Nous pensons ici en particulier à l'excellent ouvrage collectif de Blanchard, Casagrande et Mc Culloch (1994) qui apporte de nombreuses propositions de travail intéressantes. Pour Timothée, le problème de confusion de générations nous semble par exemple une piste de réflexion valide (voir Caillé, in Blanchard *et al.*, 1994) : les relations entre Timothée et sa mère justifieraient, nous semble-t-il, une redéfinition des rôles et des statuts de chaque membre, au sein de la famille.

Nous pensons donc que notre option de départ nous a permis de quitter le paradoxe redouté, mais nous a enfermé dans des solutions de « changement 1 ». Il s'agit néanmoins de relever qu'une intervention de niveau « méta » (changement 2) est, selon les termes mêmes de Watzlawick (p. 94), « très difficile » à réaliser et exige une expérience importante dans l'utilisation des paradoxes. Le « changement 1 » est par contre toujours possible et est assez facilement réalisable, mais apporte rarement la perspective séduisante d'une conversion spectaculaire et d'une amélioration massive, comme c'est le cas pour un « changement 2 ». Le jeu en vaut-il dès lors la « chandelle » ?

Nous laissons cette question ouverte. La réflexion qu'elle suscite permet d'envisager une forme d'intervention tout autre que celle que nous avons choisie pour notre projet. Nous laissons par conséquent le soin d'investir ce vaste et passionnant domaine de cogitation à d'autres enseignants, plus audacieux ! Pour notre part, il suffit ! Nous avons donné... Notre chandelle est morte. Au clair de l'ampoule de son bureau, l'ami Pierrot rend sa plume : il vient de coucher le soixante-quatre mille huit cent trente-sixième mot de cet ouvrage !

Sa motivation s'émousse...

ANNEXES

ANNEXE 1

QUESTIONNAIRE D'ATTITUDES

(Adapté de Giasson et Thériault, 1983, p. 278)

Date :

Trace un cercle autour du personnage qui dit ce que tu ressens ou penses.

1. Quand ma maîtresse lit une histoire à toute la classe, je suis comme...

2. Quand je reçois un livre en cadeau, je suis comme...

3. Quand je prends mon livre de lecture à la maison, je me sens comme...

4. Quand je dois lire à haute voix devant la maîtresse, je me sens comme...

5. Quand je dois lire à haute voix devant ma maman, je me sens comme...

6. Quand je rencontre un mot nouveau dans ma lecture, je me sens comme...

7. Quand je prépare ma leçon de lecture à la maison, je me sens comme...

8. Quand je pense à ma manière de lire, je me sens comme...

9. Quand mes camarades doivent lire, je crois qu'il se sentent comme…

10. Quand je lis, mon professeur se sent comme…

11. Quand mes camarades m'entendent lire, ils sont comme…

12. Quand je serai grand-e, j'aimerai lire comme…

13. Quand ma maman me lit une histoire, je me sens comme…

ANNEXE 2

QUESTIONNAIRE DE CONCEPTION ET DE PERCEPTION

Évaluation de la clarté cognitive de l'acte lexique

Date :

Choisis la bonne réponse et entoure-la.

1. Sais-tu lire ?   oui   non

2. Lire, c'est...

   | connaître les lettres | écrire | pouvoir raconter | lire vite | regarder les images |

   ...ou autre chose :

   _____

3. Quand j'ai préparé ma lecture, je dois être capable de...

   lire très vite   lire très vite   raconter   dire quel son
   à voix haute   à voix basse   l'histoire   j'ai travaillé

   ...ou autre chose :

   _____

4. Peux-tu m'indiquer 3 supports de lecture (lire quoi ?)

   _____   _____   _____

5. Peux-tu me donner 3 raisons de lire (lire pourquoi ?) :

   _____   _____   _____

6. Peux-tu m'expliquer 2 manières différentes de lire (lire comment ?) :

   _____

7. As-tu l'occasion de lire en dehors de la classe ?   oui   non
   Si oui, donne-moi si possible 3 occasions différentes :

   _____   _____   _____

8. Lorsque je n'arrive pas à lire un mot ou une phrase, c'est parce que... (tu peux choisir plusieurs réponses) :

   a) le mot ou la phrase sont trop difficiles
   b) je lis trop rapidement
   c) je ne suis pas assez intelligent-e
   d) je suis impatient-e
   e) je ne veux pas lire parce que je n'aime pas ça
   f) je ne saurai jamais lire
   g) je n'ai pas encore appris à lire ces sons

9. Lorsque je réussis à réaliser une fiche de lecture, c'est grâce à :

   a) l'enseignant-e
   b) la chance

c) l'exercice était facile

d) mes efforts

e) à mon intelligence

f) à une méthode que j'ai trouvée tout-e seul-e

g) mon application

10. Pour moi, apprendre à lire c'est...

très facile   facile   difficile   très difficile

Pourquoi ?

_____

_____

11. Je sais déjà lire...

des lettres   des mots   des phrases   des textes   des livres

12. Pour savoir mieux lire, je devrais...

| apprendre tous les mots | terminer mon livre de lecture | travailler tous les soirs à la maison | mieux travailler à l'école |

Je propose une autre solution :

_____

13. Est-il important d'apprendre à lire ?

très important   important   peu important   pas du tout important

Pourquoi ?

_____

14. Aimes-tu lire ?   oui   non

Pourquoi ?

_____

N.B. Les questions 1, 10, 11, 12 et 14 concernent l'élève lui-même et ce qu'il sait de ses compétences.

Les questions 2 à 7 et 13 évaluent la conscience que l'élève a de l'acte lexique lui-même (définitions, fonctions, etc.).

Le phénomène de l'attribution causale est abordé aux items 8 et 9. Les items 8a, 8c, 8f, 9a, 9b, 9c, 9e renvoient à une cause qui n'est pas sous le contrôle de l'élève et les items 8b, 8d, 8e, 8g, 9d, 9f, 9g peuvent au contraire tomber sous son pouvoir.

ANNEXE 3

ÉCHELLE D'APPRÉCIATION DE L'ATTITUDE

N.B. La fiche sera complétée par l'enseignant-e
après une observation de deux semaines.

	Toujours	Souvent	Parfois	Rarement	Jamais
Lors d'une leçon collective de lecture :					
1. L'enfant est-il attentif lors des leçons collectives de lecture ?					
2. Pose-t-il des questions ?					
3. Intervient-il dans le cours ?					
4. Répond-il aux questions posées ?					
5. Manifeste-t-il des écarts d'attention lorsque l'enseignant-e lit une histoire à toute la classe ?					
Lors d'une tâche individuelle de lecture :					
6. Est-il capable de préparer une page de lecture tout seul ?					
7. Se met-il rapidement au travail ?					
8. Comprend-il tout de suite la consigne ?					
9. Persévère-t-il lorsqu'une difficulté apparaît ?					
10. Sollicite-t-il l'enseignant-e ?					
11. A-t-il besoin d'être encouragé ?					
12. Intensifie-t-il ses efforts lorsqu'on le complimente ?					
13. Refuse-t-il d'effectuer le travail ?					
14. Invente-t-il des excuses pour se dispenser de travailler ?					
15. Est-il sensible à la qualité de son travail ?					
16. Travaille-t-il lentement ?					
17. Travaille-t-il proprement ?					
18. Interrompt-il souvent son travail ?					
19. Termine-t-il ses travaux ?					
20. Attend-il passivement ?					
21. Dérange-t-il ?					

	Toujours	Souvent	Parfois	Rarement	Jamais
Et dans les autres situations :					
22. L'enfant prend-il des livres de bibliothèque pendant ses temps libres ?					
23. Parle-t-il de livres qu'il aurait lu à la maison ?					
24. Utilise-t-il ses compétences lexiques de manière fonctionnelle dans le cadre de la vie de la classe (emplois, affiches, panneaux, etc.) ?					
25. Prépare-t-il correctement sa leçon de lecture à la maison ?					
26. Fait-il des progrès en lecture ?					

ANNEXE 4

ENTRETIEN DIRIGÉ AVEC LA MÈRE

Date :

1. Votre enfant aime-t-il lire ?   oui   non
   Pourquoi selon vous ?

   _____

   Comment montre-t-il qu'il (n') aime (pas) lire ?

   _____

2. Prend-il spontanément un livre à la maison ?   oui   non
   Si oui, quel genre de livre ? (contes, B.D., romans, revues, livres imagés, documentaires, autres)

   _____

3. Vous demande-t-il de sa propre initiative
   de travailler sa leçon de lecture ?   oui   non

4. Lors de la préparation de sa leçon de lecture :
   - travaille-t-il volontiers seul ?   oui   non
   - travaille-t-il volontiers avec vous ?   oui   non
   - est-il souvent distrait ?   oui   non
   - interrompt-il son activité ?   oui   non
   - s'énerve-t-il facilement ?   oui   non
   - refuse-t-il parfois de travailler ?   oui   non
   - est-il exigeant avec lui-même ?   oui   non
   - demande-t-il souvent de l'aide ?   oui   non

5. Combien de temps, en moyenne, consacre-t-il à sa leçon de lecture ?

   _____

6. Quelle est sa réaction quand il bute sur un mot ?

   _____

7. Est-il sensible aux compliments ?

   _____

8. Demande-t-il parfois de prolonger l'activité ?   oui   non

9. Quand il parle de l'école, évoque-t-il la lecture ? En quels termes ?

   _____

10. Est-il conscient de ses difficultés en lecture ?   oui   non

11. Aime-t-il qu'on lui lise une histoire ?   oui   non

12. S'intéresse-t-il à ce que vous lisez (journaux, recettes, factures, revues, modes d'emploi, billets de commissions etc.) ? oui non

ANNEXE 5

INVENTAIRE D'INTÉRÊTS

(Adapté de Giasson et Thériault, 1983, p. 285)

1. Mon animal préféré est _____ parce que _____

   _____

2. Mon sport préféré est _____

3. Quand j'ai du temps libre, je _____

4. Mon émission de télévision préférée est _____

   _____

5. Le jour de la semaine que j'aime le plus est _____

   parce que _____

   _____

6. La personne que j'admire le plus est _____

   parce que _____

   _____

7. La matière que je préfère à l'école est _____

   parce que _____

   _____

8. La matière que j'aime le moins à l'école est_____

   parce que _____

9. J'aime les histoires qui parlent des _____

   _____

10. Lorsqu'il pleut, je _____

_____

11. Lorsque je serai grand-e, je serai _____ parce que

_____

12. Si je pouvais faire trois vœux, ce serait :

_____

_____

_____

13. Mon repas préféré, c'est _____

_____

14. Si je pouvais être n'importe où dans le monde en ce moment,

j'aimerais être _____

parce que _____

15. Si je pouvais faire ce que j'aime, je _____

_____

16. Suppose que tu partes vivre loin sur une île déserte et que tu puis-
ses choisir 3 personnes et 1 objet qui t'accompagneraient, que
choisirais-tu ?

_____

_____

ANNEXE 6
AUTO-ÉVALUATION PRONOSTIQUE ET PROACTIVE DES PROCESSUS
FICHE DE L'ÉLÈVE

AVANT L'EXERCICE

J'ai lu la consigne et j'ai compris ce qu'il fallait faire :   OUI   NON

Je suis capable de réaliser l'exercice :   SEUL-E   J'AI BESOIN
D'UNE EXPLICATION

Je pense terminer l'exercice : ☐ très rapidement
☐ assez rapidement
☐ c'est trop long pour moi

APRÈS L'EXERCICE

Je présente mon travail à l'enseignant-e.

Il-elle est... (colorie en bleu) et je suis... (colorie en jaune)

Si l'enseignant-e est « très content-e » ou « content-e », je peux...

ANNEXE 7

AUTO-ÉVALUATION PRONOSTIQUE ET PROACTIVE DES PROCESSUS

Remarque : tu peux utiliser cette fiche lors de la réalisation de tes exercices en classe ou à la maison. Elle peut t'aider à mieux organiser ton travail, à te concentrer sur ta tâche et à te motiver. Si tu l'utilises souvent, elle te permettra de mieux te connaître.

Consigne : entoure la bonne réponse ; remplis la première partie avant ton exercice, la seconde pendant et la troisième après.

AVANT L'EXERCICE

J'ai lu la consigne et j'ai compris ce qu'il fallait faire :

OUI   NON

Je sais pourquoi je dois faire cet exercice et à quoi il va servir :

OUI   NON

Je suis capable de réaliser l'exercice :

SEUL-E   AVEC L'AIDE   AVEC L'AIDE
                DE L'ENSEIGNANT-E   D'UN-E CAMARADE

Je pense terminer l'exercice :

TRÈS   ASSEZ   C'EST TROP LONG
RAPIDEMENT   RAPIDEMENT   POUR MOI

PENDANT L'EXERCICE

Je suis :

CONCENTRÉ-E SUR   TOUJOURS DISTRAIT-E
MON TRAVAIL

APRÈS L'EXERCICE

J'ai appris quelque chose grâce à cet exercice :

OUI   NON

L'exercice était :

FACILE   J'AI EU DES   JE DOIS RETRAVAILLER
                DIFFICULTÉS   CE DOMAINE

Je suis :

CONTENT-E DE MON TRAVAIL   JE NE SUIS PAS SATISFAIT-E

ANNEXE 8

UTILISATION DE LA FICHE D'AUTO-ÉVALUATION PRONOSTIQUE ET PROACTIVE DES PROCESSUS

(cf. fiches de l'élève)

QUELQUES PISTES DE TRAVAIL POUR L'ENSEIGNANT-E.

Grille de lecture de la tâche proposée à l'élève :

1. L'objectif est-il bien défini ?

2. L'élève connaît-il l'objectif ?

3. La tâche est-elle délimitée et limitée dans le temps ?

4. L'élève connaît-il le critère de réussite de la tâche ?

5. Les difficultés sont-elles surmontables par l'élève ?

   - sans aide extérieure
   - avec l'aide de l'enseignant-e
   - avec l'aide d'un-e autre élève

6. Quel est le renforcement prévu lorsque l'objectif est atteint ?

   - renforcement tangible (bon point, récompense, félicitations, sourire…)
   - renforcement intangible (plaisir personnel)

7. La tâche est-elle intrinsèquement motivante (aspect ludique, variété, nouveauté de la tâche, etc.) ?

8. La tâche correspond-elle aux intérêts spontanés de l'enfant ? (l'enfant a peut-être choisi lui-même la tâche, l'objectif ou les moyens de réaliser la tâche)

9. L'élève est-il ou est-elle conscient-e des progrès accomplis ?

10. L'élève peut-il ou peut-elle donner un sens à l'exercice accompli (favoriser le transfert et la généralisation) ?

BIBLIOGRAPHIE

Alderfer C.P. (1969), An empirical test of a new theory of human needs. In : *Organizational Behavior and Human Performance*, vol.4, no 2, pp. 142-175.

De Ajuriaguerra J. (1980), *Manuel de psychiatrie de l'enfant*, Paris, Masson.

Ammann P. (1994), *J'ai de la peine à maintenir mon attention*, Fribourg, IPC : Travail de diplôme.

André B. (1998), *Motiver pour enseigner*, Paris, Hachette

André J. (1992), À l'origine, la relation humaine. In : *Cahiers pédagogiques*, N° 300.

Archambault J., Chouinard R. (1996), *Vers une gestion éducative de la classe,* Montréal, Gaëtan Morin.

Astolfi J.-P.(1997), Motivation. In : *Résonances,* juin, 5-7.

Aubert J.-L. (1994), *« Si l'huile flotte... »* — *comprendre et prévenir l'échec scolaire,* Paris, Criterion.

Aumont B., Mesnier P.-M. (1992), *L'acte d'apprendre,* Paris, PUF.

Auger M.-T., Bouchelart C. (1995), *Élèves difficiles. Profs en difficulté,* Lyon, Chroniques Sociales.

Bandura A. (1986), *Social foundations of thought and action : a social cognitive theory,* New York, Englewood Cliffs, Prentice-Hall.

Bandura A. (1989), Social cognitive theory, *Annals of Child Development,* 6, 1-60.

Bandura A. (2002), Social Cognitive Theory in Cultural Context. In : *Applied Psychology 51,* 269-290.

Bandura A. (2003), *Auto-efficacité* — *Le sentiment d'efficacité personnelle,* Bruxelles, De Boeck.

Barth B.-M. (1987), *L'apprentissage de l'abstraction,* Paris, Retz.

Beccaria M., Kergueno J. (1982), *Aimer lire,* Paris, Bayard-Presse.

Bender M. (1994), *Devenir autonome et responsable,* Fribourg, IPC : Travail de diplôme.

Bentolila A., Chevalier B., *Bon en lecture (CP),* Éd. Nathan — Déclic Lecture.

Blanc J., Brodard J. (1993), *La motivation des élèves dans les apprentissages scolaires,* Fribourg, IPC : Travail de diplôme.

Blanchard F., Casagrande E., Mc Culloch P. (1994), *Échec scolaire* — *Nouvelles perspectives systémiques,* Paris, ESF.

Bolmare S. (1992), Des enfants qui ont peur d'apprendre. In : *Cahiers pédagogiques,* N° 300.

Brouet O. (1992), Et tout d'un coup. In : *Cahiers pédagogiques,* N° 300.

Blinkers B., *Je commence à lire,* Le Ballon.

Caron J. (1994), *Quand revient septembre...* — *Guide sur la gestion de classe participative,* Montréal, Chenelière.

Caron J. (2003), *Apprivoiser les différences — Guide sur la différenciation des apprentissages et la gestion des cycles,* Montréal, Chenelière.

Carré P. (2001), *De la motivation à la formation,* Paris, L'Harmattan

Caudron H. (2004), *Faire aimer l'école,* Paris, Hachette.

Chappaz G. (1992), Peut-on éduquer la motivation ? In : *Cahiers pédagogiques* N° 300.

Chappaz G. (sous la direction de) (1996), *Construire et entretenir la motivation,* Marseille, CNDP/CRDP, Université de Provence.

Charles C.M. (1997), *La discipline en classe,* Bruxelles, De Boeck.

Charmeux E. (1987), *Apprendre à lire : échec scolaire,* Cahors, Milan.

Chauveau G.(1997), *Comment l'enfant devient lecteur,* RETZ.

Covington M.V., Teel K.M. (2000), *Vaincre l'échec scolaire,* Bruxelles, De Boeck.

Crahay M.(1996), *Peut-on lutter contre l'échec scolaire ?,* Bruxelles, De Boeck.

Crahay M. (1999), *Psychologie de l'éducation,* Paris, PUF.

Croizier M. (1993), *Motivation, projet personnel, apprentissages,* Paris, ESF.

Curonici C., Mc Culloch P. (1997), *Psychologues et enseignants — Regards systémiques sur les difficultés scolaires,* Bruxelles, De Boeck Université.

Dauphin V. (2004), Négocier un contrat d'évolution avec l'élève. In : *La classe maternelle,* no 131, 09/2004

Deci, E.L., Vallerand R.J., Pelletier L.G., Ryan R.M. (1991), Motivation and education : the self-determination perspective, *Educational Psychologist,* 26, 325-346.

Decker J.-F.(1988), *Être motivé et réussir,* Paris, Organisation.

Deldime R., Demoulin R. (1975), *Introduction à la psycho-pédagogie,* Bruxelles, De Boeck.

Demnard D. (2002), *L'aide à la scolarité par la PNL,* Bruxelles, De Boeck.

Derruaz A. (1992), L'évaluation formatrice, source de motivation. In : *Cahiers pédagogiques* N° 300.

Desoli J. (1997), *Boulet rouge pour tableau noir,* Syros.

Develay M. (1996), *Donner du sens à l'école,* Paris, ESF.

Dias B. (2003), *Apprentissage cognitif médiatisé,* Lucerne, CSPS Edition.

Dolto F. (1989), *L'échec scolaire,* Ergo Press.

Donnadieu G., Isnard A. (1990), Pour une approche systémique de la motivation. In : *Revue internationale de systémique,* Paris, Dunod.

Doudin P.-A., Martin D., Albanese O. (2001), *Métacognition et éducation,* Bern, Peter Lang.

Downing J., Fijalkow J. (1990), *Lire et raisonner,* Toulouse, Privat.

Dweck, C.S. (1986), Motivational processes affecting learning, *American Psychologist,* 41, 10, 1040-1048.

Dweck, C.S. (1989), Motivation. In : A. Lesgold et R. Glaser (Eds), *Foundations for a Psychology of Education,* Hillsdale, Lawrence Erlbaum Associates.

Egan G. (1987), *Communication dans la relation d'aide,* Maloine.

Fenouillet F. (2001), Relation entre perception de compétences, sentiment d'autodétermination et projet, in : Carré, *De la motivation à la formation,* Paris, L'Harmattan

Fenouillet F. (2003), *La motivation,* Paris, Dunod

Fenouillet F. (2005), L'informatique motive-t-elle ? In : *Les cahiers pédagogiques,* no 429-430, janvier-février 2005

Fijalkow J. (2000), *Sur la lecture,* Issy-les-Moulineaux, ESF.

Forner Y. (1999), La motivation à la réussite des jeunes en insertion, *Questions d'orientation,* no 3, pp. 57-64.

Foucambert J. (1989), *Question de lecture*, Paris, Retz.

Gage W., Hafner M. (1987), *Mathilde et le fantôme,* Paris, Gallimard.

Gardner H. (1999), *Les formes de l'intelligence*, Paris, Retz.

Giasson J. (1983), *Apprentissage et enseignement de la lecture*, Montréal, Ville-Marie.

Giasson J. (1996), *La compréhension en lecture*, Bruxelles, De Boeck.

Giasson J. (1997), *La lecture. De la théorie à la pratique,* Bruxelles, De Boeck.

Giordan A. (1998), *Apprendre !,* Paris, Belin.

Giordan A. (2005), Vive la motivation ? In : *Les cahiers pédagogiques,* no 431.

Henry G. (1989), *Rapport final sur l'atelier de recherche sur l'évaluation des résultats scolaires : Motivations et réussite des élèves,* Liège, Université, Strasbourg, Conseil de l'Europe.

Houssaye J. (1993), *La pédagogie : une encyclopédie pour, aujourd'hui,* Paris, ESF.

Huart T. (2001), Un éclairage théorique sur la motivation scolaire : un concept éclaté en multiples facettes. In : *Cahiers du Service de Pédagogie expérimentale,* Université de Liège -7-8/ 2001.

Jacquemin N., Bender M. (1994), *Les facteurs motivationnels,* Fribourg, IPC : Travail d'examen.

Jamet E. (1997), *Lecture et réussite scolaire,* Paris, Dunod.

Joule R-V. (2005), La pédagogie de l'engagement. In : *Cahiers pédagogiques* N° 429-430, janvier-février 2005.

Kaddour M-D., Léon C. (2005), Double tutorat au collège Gustave Flaubert. In : *Les cahiers pédagogiques,* no 429-430, janvier-février 2005.

Lafont M. (1992) Au-delà de la carotte et du bâton. In : *Cahiers pédagogiques* N° 300.

De La Garanderie A., Cattan G. (1988) *Tous les enfants peuvent réussir*, Paris, Centurion.

De La Garanderie A. (1991) *La motivation*, Paris, Centurion.

Lecomte J. (2005), Trois clés. In : *Cahiers pédagogiques* N° 429-430, janvier-février 2005.

Legrain H. (2003) *Motivation à apprendre : mythe ou réalité ?,* Paris, L'Harmattan.

Leperlier G. (2001) *Réussir sa scolarité — (Re)motiver l'élève,* Lyon, Chronique Sociale.

Lévy-Leboyer C. (1999), La motivation : définition, modèles et stratégies. In : *Éducateur Magazine,* octobre, 8-10.

Lieury A., Fenouillet F. (1996), *Motivation et réussite scolaire,* Paris, Dunod.

Lieury A. (1997), Motivation et découragement. In : *Résonances,* janvier, 4-5.

Lieury A., Fenouillet F. (1997), Faut-il secouer ou dorloter les élèves ? In : *Résonances,* janvier, 3.

Lieury A. (1997), Du laboratoire à la classe. In : *Sciences Humaines,* no 70.

Lieury A., Fenouillet F. (2002), Motivation et estime de soi. In : *Résonances,* novembre, 10-13.

Lobrot M. (1996), Le plaisir, condition de l'apprentissage. In : *Le journal des psychologues,* septembre, 14-18.

Mager R.-F. (1990), *Pour éveiller le désir d'apprendre*, Bordas.

Maillard W. (1994), *L'insoutenable plaisir de lire,* Fribourg, IPC : Travail de diplôme.

Malson L. (1994), *Qu'est-ce que la dyslexie ?* Privat.

Maréchal J. (1988), *Lecture programmée en vingt contrats,* Wesmael.

Martin M. (1999), *Jeux pour lire,* Paris, Hachette Éducation.

Marzano R.J., Paynter D.E. (2000), *Lire et écrire — Nouvelles pistes pour les enseignants,* Bruxelles, De Boeck.

Maslow A. (1943), A theory of human motivation. In : *The Psychological Review*, vo.50, no 4, pp. 370-396.

Moè A., De Beni R. (2001), Méthode d'étude : des stratégies aux programmes métacognitifs. In Doudin P.-A., Martin D., Albanese O. (2001), *Métacognition et éducation*, Bern, Peter Lang.

Observatoire national de la lecture (1998), *Apprendre à lire*, Paris, O. Jacob.

Mc Combs B., Pope J.E. (2000), *Motiver ses élèves — Donner le goût d'apprendre*, Bruxelles, De Boeck Université.

Meirieu P. (1989), *L'école, mode d'emploi*, Paris, ESF.

Meirieu P. (1989), *Apprendre... oui, mais comment ?*, Paris, ESF.

Mersch-Van Turenhoudt S. (1991), *Gérer une pédagogie différenciée*, Bruxelles, De Boeck.

Métrailler P. (2005), *Motivation et performances scolaires*, Lille, Université Charles De Gaulle (travail de recherche).

Morissette D., Gingras M. (1989), *Enseigner des attitudes*, Bruxelles, De Boeck.

Moyne A. (1982), *Le travail autonome*, Paris, Fleurus.

Moyne A. (1992), Un choix possible : le contrat de paresse ? In : *Cahiers pédagogiques*, no 300.

Nachon M., Wallian N. (2005), Les « sports co » motivent ? In : *Cahiers pédagogiques* N° 429-430, janvier-février 2005.

Not L. (1989), *L'enseignement répondant*, Paris, PUF.

Not L. (1987), *Enseigner et faire apprendre*, Toulouse, Privat.

Nuttin J. (1985), *Théorie de la motivation humaine*, Paris, PUF.

Nuttin J. (1987), Développement de la motivation et formation. In : *Éducation permanente*, « Apprendre peut-il s'apprendre » no 88-89.

OCDE (2000), *Motiver les élèves : l'enjeu de l'apprentissage à vie*, Paris, OCDE.

Osterrieth P. (1988), *Faire des adultes*, Bruxelles, Mardaga.

Ouzoulias A. (1995), *L'apprenti lecteur en difficulté*, Paris, RETZ.

Pantanella R. (1992), Un certain regard. In : *Cahiers pédagogiques* no 300.

Pasquier A. (1992), Production de texte écrit : la dictée à l'adulte. In : *Cahier* no 10, Genève, DIP.

Pennac D. (1992), *Comme un roman*, Paris, Gallimard.

Perrenoud P. (1993), Sens du travail et travail du sens à l'école. In : *Cahiers pédagogiques*, no 314-315, pp. 23-27.

Perrenoud P. (1994), *Métier d'élève et sens du travail scolaire*, Paris, ESF.

Perrenoud P. (1996), *La pédagogie à l'école des différences*, Paris, ESF.

Perrez M., Minsel B., Wimmer H. (1990), *Ce que les parents devraient savoir*, Bruxelles, Labor.

Pierret-Hannecart M., Pierret P. (2003), *Des pratiques pour l'école d'aujourd'hui*, Bruxelles, De Boeck.

Pleux D. (2001), *Peut mieux faire — Remotiver son enfant à l'école*, Paris, O. Jacob.

Pourtois J-P., Mosconi N. (2002), *Plaisir, souffrance, indifférence en éducation*, Paris, PUF.

Przesmycki H. (2005), Une véritable pédagogie de contrat possible ? In : *Éducateur 07.05*, pp. 28-29.

Reuchlin M. (1991), *Psychologie*, Paris, PUF.

Rollet B. (1992), L'évitement d'effort. In : *Cahiers pédagogiques* N° 300.

Rogers C.R. (1984), *Liberté pour apprendre ?*, Paris, Dunod.

Roussel P. (2000), La motivation au travail — Concept et théories. In : *Les notes du LIRHE,* note no 326, Toulouse, LIRHE.

de Saint-Denis E.(2005), Du décrochage scolaire à la réussite au bac. In : *Les cahiers pédagogiques,* no 429-430, janvier-février 2005.

Seligman M.E.F. (1971), Phobias and preparedness. In : *Behavior Therapy,* 2, 307-320.

Sestier D., Hochet Y. (2005), Jouer ou travailler : faut-il vraiment choisir ? In : *Cahiers pédagogiques* N° 429-430, janvier-février 2005.

Skinner B.F. (1979), *Pour une science du comportement : le béhaviorisme,* Neuchâtel-Paris, Delachaux et Niestlé.

Skinner B.F. (1969), *La révolution scientifique de l'enseignement,* Bruxelles, Dessart.

Tardif J. (1992), *Pour un enseignement stratégique,* Montréal, Logiques.

Tardif J., Couturier J. (1993), Pour un enseignement efficace. In : *Vie pédagogique 85,* septembre-octobre.

Thériault J. (1996), *J'apprends à lire... Aidez-moi !* Montréal, Logiques.

Trocmé-Fabre H. (1987), *J'apprends, donc je suis,* Paris, d'Organisation.

Vallerand R.J., Thill E.E. (1993), *Introduction à la psychologie de la motivation,* Laval (Québec), Études vivantes.

Vellas E. (1999), Étonner les élèves en plongeant avec eux dans les tourbillons de la création du savoir. In : *Éducateur Magazine,* octobre, 13-15.

Vianin P. (1995), *Évaluation formative et pédagogie différenciée.* Fribourg, IPC.

Vianin P. (1997), Motiver Timothée : un projet de l'ici et du maintenant. In : *Résonances,* janvier, 8-10.

Vianin P. (2001), *Contre l'échec scolaire — L'appui pédagogique à l'enfant en difficulté d'apprentissage,* Bruxelles, De Boeck et Belin.

Viau R. (1997), *La motivation en contexte scolaire,* Bruxelles, De Boeck.

Viau R. (2005), Les réponses d'un chercheur. In : *Cahiers pédagogiques* N° 429-430, janvier-février 2005.

Vygotsky L.S. (1985), *Pensée et langage,* Paris, Sociales.

Watzlawick P., Helmick Beavin J., Don D. Jackson (1972), *Une logique de la communication,* Paris, Seuil.

Watzlawick P., Weakland J., Fisch R. (1975), *Changements, paradoxes et psychothérapie,* Paris, Seuil.

Watzlawick P. (1978), *La réalité de la réalité,* Paris, Seuil.

Watzlawick P. (1991), *Les cheveux du baron de Münchhausen,* Paris, Seuil.

Weiner B. (1983), Some methodological pitfalls in attributional research. In : *Journal of Educational Psychology,* 75, 530-543.

Weiner B. (1985), An attributional theory of achievement motivation and emotion, *Psychological Review,* 92, 4, 548-573.

Zakhartchouk J-M. (2005), Cette fameuse motivation (éditorial). In : *Cahiers pédagogiques* N° 429-430, janvier-février 2005.

TABLE DES MATIÈRES

PARTIE 2
Le projet pédagogique

Pratiques pédagogiques

Pierre-André DOUDIN, MIRIAM ERKOHEN-MARKÜS (éds), Violences à l'école. Fatalité ou défi?

Pol DUPONT, Faire des enseignants

Susan FOUNTAIN, Éducation pour le développement. Un outil pour un apprentissage global. Traduit de l'anglais par François-Marie Gerard

Bernard GAILLARD, Suivi et accompagnement psychologiques en milieu scolaire. Approches cliniques

Hélène GAUTHIER, Faire du théâtre dès cinq ans

Jocelyne GIASSON, La compréhension en lecture

Philippe JONNAERT, De l'intention au projet

Anne JORRO, L'enseignant et l'évaluation. Des gestes évaluatifs en question

Louise LAFORTUNE, Lise SAINT-PIERRE, Affectivité et métacognition dans la classe. Des idées et des applications concrètes pour l'enseignant

Marie-Claire LANDRY, La créativité des enfants. Malgré ou grâce à l'éducation

Daniel MORISSETTE, Guide pratique de l'évaluation sommative. Gestion des épreuves et des examens

Hélène POISSANT, L'alphabétisation. Métacognitions et interventions

Marie-Christine POLLET, Pour une didactique des discours universitaires. Étudiants et système de communication à l'université

Xavier ROEGIERS, Les mathématiques à l'école élémentaire. Tome 1 : Cadre de référence et contenus mathématiques

Xavier ROEGIERS, Les mathématiques à l'école élémentaire. Tome 2 : Contenus mathématiques

Jean-Pierre RYNGAERT, Le jeu dramatique en milieu scolaire

Gérard SCALLON, L'évaluation formative

Claude SIMARD, Éléments de didactique du français langue première

Christiane STRAUVEN, Construire une formation. Définition des objectifs pédagogiques et exercices d'application

Alain THIRY, Yves LELLOUCHE, Apprendre à apprendre avec la PNL. Les stratégies PNL d'apprentissage à l'usage des enseignants du primaire. 3e édition

Pierre VIANIN, La motivation scolaire. Comment susciter le désir d'apprendre?

Rolland VIAU, La motivation en contexte scolaire

Philippe VIENNE, Comprendre les violences à l'école

Laurence VIENNOT, Enseigner la physique

Laurence VIENNOT, Raisonner en physique. La part du sens commun

Luc VILLEPONTOUX, Aider les enfants en difficulté à l'école. L'apprentissage du lire-écrire

Danielle ZAY, Enseignants et partenaires de l'école. Démarches et instruments pour travailler ensemble